Als Max und Tina in ihrem Auto eingeschneit auf einem Alpenpass ausharren müssen, erzählt Max eine Geschichte, die genau dort in den Bergen, zur Zeit der französischen Revolution, ihren Anfang nimmt.

Jakob ist ein Knecht aus dem Greyerzerland. Als er sich in Marie, die Tochter eines reichen Bauern, verliebt, ist dieser entsetzt. Er schickt den Jungen erst in den Kriegsdienst, später als Hirte an den Hof Ludwigs XVI. Dort ist man so gerührt von Jakobs Unglück, dass man auch Marie nach Versailles holen lässt.

Alex Capus, 1961 in der Normandie geboren, studierte Geschichte und Philosophie in Basel. Er war als Journalist bei verschiedenen Schweizer Tageszeitungen tätig. 1997 veröffentlichte er seinen ersten Roman ›Munzinger Pascha‹, dem seither viele weitere folgten. ›Léon und Louise‹ wurde zu einem internationalen Bestseller. Alex Capus lebt heute als freier Schriftsteller in Olten in der Schweiz.

Alex Capus

Königskinder

Roman

dtv

Von Alex Capus ist bei dtv außerdem lieferbar:
Mein Studium ferner Welten (13065)
Munzinger Pascha (13076)
Fast ein bisschen Frühling (13167)
Eigermönchundjungfrau (13227)
Glaubst du, daß es Liebe war? (13295)
13 wahre Geschichten (13470)
Léon und Louise (14128)
Der Fälscher, die Spionin und der Bombenbauer (14374)
Mein Nachbar Urs (14449)
Reisen im Licht der Sterne (14531)
Patriarchen (14597)
Das Leben ist gut (14631)
Eine Frage der Zeit (14663)
Himmelsstürmer (14710)

**Ausführliche Informationen über
unsere Autorinnen und Autoren und ihre Bücher
finden Sie unter www.dtv.de**

3. Auflage 2020
2020 dtv Verlagsgesellschaft mbH & Co. KG, München
Lizenzausgabe mit Genehmigung der
Carl Hanser Verlag GmbH & Co. KG, München
© 2018 Carl Hanser Verlag GmbH & Co. KG, München
Umschlaggestaltung: Wildes Blut, Atelier für Gestaltung,
Stephanie Weischer nach einer Idee von
Peter-Andreas Hassiepen, München,
unter Verwendung eines Fotos von plainpicture/Tim Robinson
Satz: C.H.Beck.Media.Solutions, Nördlingen
Druck und Bindung: Druckerei C.H.Beck, Nördlingen
Gedruckt auf säurefreiem, chlorfrei gebleichtem Papier
Printed in Germany · ISBN 978-3-423-14745-3

Königskinder

Mühsam kämpfte sich im nächtlichen Schneetreiben ein roter Toyota Corolla auf der Passstraße um die Haarnadelkurven. Die Scheinwerfer suchten zwischen den roten Leitpfosten den Weg, die Räder knirschten im Schnee und hinterließen eine einsame Spur, die rasch wieder unter neuem Schnee verschwand. Längst hatte der Wagen die letzte menschliche Siedlung, das letzte erleuchtete Fenster hinter sich gelassen. Jetzt waren da nur noch abschüssige, tief verschneite Alpweiden mit mächtigen Felsblöcken, die jederzeit weiter talwärts zu rollen drohten, und da und dort in einer unzugänglichen Kluft ein knorriges, winterlich erstarrtes Fichtenwäldchen, das seit langer Zeit keines Menschen Fuß mehr betreten hatte.

Gut möglich, dass wegen des Motorenlärms in einem dieser Wäldchen ein einsamer alter Steinbock erwachte, der sich unter den Ästen einer Fichte für die Nacht zur Ruhe gelegt hatte. Dann kann man sich vorstellen, wie er sein mächtig gehörntes Haupt hob und auf den Toyota hinunterschaute, und dass er durch die Windschutzscheibe die fahl erleuchteten Gesichter einer Frau und eines Mannes sah, die geradeaus ins Schneetreiben starrten. Noch hat die Wissenschaft nicht herausgefunden, ob Steinböcke sich über das Tun der Menschen irgendwelche Gedanken machen; aber wenn sie es tun, dachte dieser Steinbock in diesem Augenblick zweifellos dies: dass die Frau und der Mann bei diesem Wetter und um diese Uhrzeit keinesfalls auf der Passstraße unterwegs sein sollten. Und schon gar nicht bergauf.

»Jetzt ist es fürs Umkehren endgültig zu spät«, sagte die Frau.

»Vor zehn Minuten wär's vielleicht noch gegangen«, sagte der Mann.

»Das haben wir vor zehn Minuten auch schon gesagt.«

»Und vor zwanzig Minuten auch.«

»Aber jetzt ist es wirklich zu spät.«

»Ich wüsste nicht, wie wir hier wenden sollten.«

»Und rückwärts wieder hinunter geht auch nicht.«

»Dann fahren wir eben weiter. Allzu weit kann es nicht mehr sein bis zur Passhöhe. Drei oder vier Kehren noch, würde ich sagen.«

»Ich bin wirklich froh um die Scheibenwischer«, sagte sie. »Bist du auch froh um die Scheibenwischer?«

»Ja.«

»Wie?«

»Ja.«

»Was sagst du?«

»Ist gut jetzt.«

»Bist du nicht froh um die Scheibenwischer? Bei dem Schneesturm?«

»Hör zu, ich finde Scheibenwischer super«, sagte er. »Reicht dir das? Können wir es jetzt bitte gut sein lassen?«

Tina und Max waren ein Paar, das sich in den großen Dingen des Lebens immer einig war. Über die kleinen Dinge zankten sie sich unablässig, aber in den großen Dingen verstanden sie sich blind.

Vor einer halben Stunde noch, als sie in der Abenddämmerung auf schwarzem Asphalt durch die spätsommerlichen Wiesen des Berner Oberlands gefahren waren, hatten sie heftig über die Frage gestritten, zu welchem Zeitpunkt die Scheibenwischer eines Automobils vernünftigerweise in Betrieb genommen werden sollten. Kurz zuvor waren aus dem grauen Herbsthimmel die ersten Schneeflocken gefallen, worauf Tina die Scheibenwischer eingeschaltet und Max seufzend den Kopf in den Nacken gelegt hatte.

»Was ist?«

»Nichts.«

»Sag schon.«

»Nichts.«

»Was?«

»Die Scheibenwischer.«

»Was ist mit denen?«

»Du hast sie wegen drei Schneeflocken eingeschaltet.«

»Und?«

»Jetzt ist die Scheibe verschmiert, die Sicht ist schlechter als vorher.«

»Und?«

»Gib zu, dass die Sicht jetzt schlechter ist.«

»Wenn's anfängt zu schneien, schalte ich die Scheibenwischer ein. Wenn's nicht mehr schneit, schalte ich sie wieder aus.«

»Aber doch nicht wegen drei Flocken!«

»Ich sehe nicht ein, was daran falsch sein soll«, sagte sie. »Scheibenwischer schaltet man bei einsetzendem Niederschlag ein, zu diesem Zweck haben die Jungs von der Toyota-Fabrik die Dinger eingebaut. Ich gehe stark davon aus, dass dies als Empfehlung so auch im Handbuch steht.«

»Lass mich mit dem Handbuch in Frieden.«

»Es liegt im Handschuhfach. Schlag nach. Unter S wie Scheibenwischer.«

»Ich rede nicht von Dienstvorschriften, sondern von Erfahrungswerten. Von gesundem Menschenverstand.«

»Klar.«

»Nach meiner Erfahrung schaltet man Scheibenwischer mit Vorteil erst dann ein, wenn die Windschutzscheibe ordentlich eingenässt ist. So schmiert der Kautschuk nicht übers Glas, sondern gleitet schön sauber darüber und hinterlässt eine kristallklare Scheibe.«

»Okay, der war gut. Du machst Spaß, oder?«

»Wieso?«

»Sag mir, dass das nicht dein Ernst ist. Lüg mich an und sag, dass du Spaß machst.«

»Keineswegs. Im Übrigen finde ich das ziemlich spießig.«

»Was?«

»Dieses ständige Wischen bei geringfügigstem Anlass.«

»Du findest Scheibenwischen spießig?«

»Dieses dauernde Putzen. Diese zwanghafte Saubermacherei die ganze Zeit.«

»Ich verstehe. Da liegt der Hund begraben. Dir ist daran gelegen, kein Spießer zu sein.«

»Ich rede von Scheibenwischern.«

»Du findest Scheibenwischer spießig?«

»Eigentlich schon. Offen gestanden.«

»Grundsätzlich?«

»Genauso wie Schonbezüge auf Sitzmöbeln. Und Gummi-matten in Duschkabinen. Oder Reisekostenversicherungen. Und Laubbläser und Dampfdruckreiniger. Und Fahrrad-helme.«

»Fahrradhelme auch?«

»Extrem spießig. Außer auf Radrennbahnen. Oder bei Vierundzwanzigstundenrennen und auf den Köpfen von Kleinkindern unter vier Jahren. Ich bin froh, dass du keinen Fahrradhelm trägst. Fahrradhelme sind ein Scheidungs-grund.«

»Gummimatten und Schonbezüge auch?«

»Streng genommen schon. Man hat als Ehegatte natür-lich die Pflicht, gegenüber der Gefährtin auch mal fünf gera-de sein zu lassen, aber die Langmut muss doch ihre Grenzen haben. Selbstgestrickte Schutzhüllen für Smartphones bei-spielsweise führen zu weit, ebenso Welcome-Fußabstreifer vor Hauseingängen. Wobei die Spießigkeit dieser Gegen-stände nicht in ihrer Natur selbst liegt, sondern in der Hand-habung durch den Anwender beziehungsweise die Anwen-derin.«

»Willst du damit sagen, dass du mich spießig findest? Weil ich die Scheibenwischer zu früh einschalte?«

»Ich sage nur, dass eine verfrühte Inbetriebnahme nicht zielführend ist.«

»Ich fasse es nicht.«

»Was?«

»Dass du es deinem Rebellentum schuldig zu sein glaubst, den Einsatz von Scheibenwischern zu verweigern.«

»Ich verweigere überhaupt nichts, und meinem Rebellen-tum schulde ich gar nichts. Sonst wäre es übrigens keines.«

»Aber eine längere Diskussion ist dir diese Lappalie immerhin wert.«

»Damit hast du angefangen.«

»Nein, du.«

»Nein, du.«

»Nein, du.«

»Meinetwegen. Das Leben besteht nun mal, wenn man es in seine atomaren Einzelteile zerlegt, aus lauter Lappalien. Es sind die Zusammenhänge zwischen den Lappalien, welche die ganze Sache erst interessant machen.«

»Und deswegen müssen wir über Scheibenwischer diskutieren?«

»Findest du das blöd?«

»Eigentlich schon. Offen gestanden. Und kindisch.«

Über solche Sachen stritten Tina und Max die ganze Zeit. Sie stritten über Vollkorn-Pasta und Überwachungskameras, über Geschirrspüler und die korrekte Anwendung des Genitivs im Schweizer Dialekt; aber in den großen Dingen des Lebens – den Dingen, auf die es wirklich ankam – waren sie sich schon immer einig gewesen.

Das hatte seinen Anfang an einem heißen Sommernachmittag vor sechsundzwanzig Jahren genommen, als sie einander in der Basler Innenstadt in einer Eisdiele über den Weg gelaufen waren. Er hatte ihr den Vortritt gelassen, worauf sie mit ihrem Himbeer-Pistazien-Eis draußen gewartet hatte, bis er mit seinem Haselnuss-Vanille-Eis herauskam, und dann waren sie zusammen am Rhein spazieren gegangen, als wären sie schon lange verabredet gewesen; als wären sie bereits das Liebespaar, das sie wohl von der Sekunde an gewesen waren, da sich ihre Blicke in der Eisdiele gekreuzt hatten. Auf jenem Spaziergang hatten sie sich zum ersten Mal gestritten, und zwar über Birkenstock-Sandalen, feministischen Sprachgebrauch und die ethische Verantwortbarkeit von Vergnügungsreisen in Militärdiktaturen, und beim Abschied hatten sie sich für den nächsten Tag zum Mittagessen verabredet. Dann hatten sie eine gemeinsame Wohnung bezogen und ohne erkennbare Planung in unregelmäßigen Abständen einvernehmlich eine ganze Anzahl Kinder gezeugt, und nun, da sie ihren Jüngsten in einer Hotelfachschule im Berner Oberland abgeliefert, den Nachmittag mit einem Spaziergang um den Schwarzsee verbracht und abends in einer Dorfkneipe Speck mit Sauerkraut, Dörrbohnen und Kartoffeln gegessen hatten, waren sie auf dem Gästeparkplatz nach kurzer Beratung übereingekommen, für den Heimweg hinunter ins Flachland nicht die öde Schnellstraße über Thun und Bern, sondern die abwechslungsreiche Abkürzung über den Jaunpass hinunter ins Greyerzerland zu nehmen; dies, obwohl die Wetterprognosen intensiven Schneefall vorausgesagt hatten und die Passstraße für die Nacht gesperrt war.

Die Wiesen im Simmental waren wie gesagt noch sommerlich grün gewesen und die Straße hatte schwarz und schnurgerade ins Tal hinaufgeführt. Aber als sie in Boltigen auf die Passstraße einbogen, die in weiten Schlaufen tausend Meter in die Höhe stieg, hatte es zu schneien angefangen. Nach den ersten Haarnadelkurven waren die Wiesen weiß geworden und unter den Reifen hatte der Matsch zu schmatzen begonnen, und dann war die Straße unter einer Schneeschicht verschwunden, die von Minute zu Minute dicker wurde.

»Wir hätten die Absperrung nicht umfahren dürfen«, sagte Max. »So etwas Saublödes machen nur Touristen.«

Tina nickte. »Nur die arrogantesten Blödiane unter den Touristen.«

»Und jetzt fahren wir auch noch weiter. Wie die letzten Idioten. Geradewegs ins Verderben.«

»Andrerseits kann man im Leben auch nicht immer alle Vorschriften einhalten«, sagte Tina. »Wer ein bisschen Spaß haben will, muss schon mal eine Absperrung umfahren.«

»Aber blöd ist es schon. Die Leute vom Straßenverkehrsamt sperren ihre Straßen nicht nur zum Spaß.«

Tina schaute angestrengt übers Lenkrad auf die Straße. »Ich glaube, wir sind gleich oben.«

Tatsächlich quälte sich der Corolla noch über zwei oder drei Serpentinen, dann auf einer Hochebene an ein paar Holzhäusern vorbei, die sich im Schneetreiben schwarz abzeichneten, und dann leuchtete im Scheinwerferlicht ein blaues Schild am Straßenrand, auf dem stand: Jaun-Pass, 1508 M.ü.M. Danach neigte sich die Straße spürbar wieder abwärts.

Das Problem war nur, dass auf der Westseite des Passes das Schneetreiben noch dichter war und der Schnee doppelt so hoch lag, weil der Wind die Schneewolken vom Atlantischen Ozean herantrieb und diese sich an der Westflanke des Alpenbogens stauten.

»Man muss auch den positiven Aspekt der Sache sehen«, sagte Max. »Wir sind vermutlich die letzte Generation in der Geschichte der Menschheit, die noch die Freiheit hat, Dummheiten wie diese zu begehen. Unsere Kinder werden in selbstfahrenden Autos mit Bordsystemen unterwegs sein, die automatisch eine Vollbremsung einleiten und selbsttätig um hundertachtzig Grad wenden, wenn jemand so blöd ist, im Winter bei Schneesturm eine gesperrte Passstraße befahren zu wollen.«

Langsam glitt der Toyota talwärts. An eine Umkehr zum Pass hinauf, gegen die Gravitation und durch den immer höher liegenden Schnee, war nicht mehr zu denken. Hin und wieder brach das Heck des Wagens seitlich aus, dann gab Tina Gas und Gegensteuer, um ihn aufzufangen.

»Ein bisschen gefährlich ist das schon, was wir hier machen«, sagte sie.

»Verdammt gefährlich«, sagte er.

»Wir könnten bald tot sein.«

»Nur gut, dass unsere Kinder schon einigermaßen groß sind.«

Wie zur Bestätigung rutschte der Wagen in der nächsten Kurve sachte, beinahe zärtlich von der Fahrbahn und blieb mit blockierten Rädern und abgewürgtem Motor bergseitig im Straßengraben stehen. Die Scheibenwischer flappten weiter hin und her.

»Das war's«, sagte Tina. Ohne Hoffnung drückte sie die Kupplung durch und drehte den Zündschlüssel, gab Gas und ließ die Kupplung langsam los – die Räder drehten ohne Widerstand im Schnee. Tina schaltete den Motor wieder aus. In der Fahrerkabine wurde es still. Nur noch das Hauchen der Bordheizung und das Flappen der Scheibenwischer war zu hören.

»Tja«, sagte Max.

Spätestens von nun an war jeder Widerstand zwecklos, darüber waren Tina und Max sich einig. Um freizukommen, hätten sie die Vorderräder ausgraben und mit einer rutschfesten Unterlage versehen müssen, und selbst wenn das gelungen wäre – mit welchem Schaufelwerkzeug auch immer –, und selbst wenn sie es mit Schieben und Stoßen auf die Straße zurückgeschafft hätten, hätte sie nach wenigen Dutzend Metern die nächste Haarnadelkurve erwartet, und dann wieder eine und wieder eine. Und manche dieser Kurven, so stand zu befürchten, würden nicht entlang von Straßengräben, sondern vorbei an Abhängen und Schluchten führen.

»Mein Handy hat kein Netz«, sagte Tina.

»Meines auch nicht. Immerhin funktionieren die Scheibenwischer noch.«

»Sehr lustig«, sagte Tina. Sie schaltete die Scheibenwischer, die Scheinwerfer und die Bordheizung aus. In Sekundenschnelle bildete sich weißer Flaum auf der Scheibe.

»Ich verstehe gar nicht, wieso du die Scheibenwischer ausschaltest«, sagte Max. »Es hat doch gar nicht aufgehört zu schneien.«

»Ist gut jetzt.«

»Wir könnten immerhin versuchen, die nächste naheliegende Touristendummheit nicht zu begehen. Wir könnten es unterlassen, aus dem Wagen auszusteigen und den Abstieg ins Tal zu Fuß zu wagen.«

»Gute Idee. Dann sind wir in einer Stunde nicht tot.«

»Aber die Häuser bei der Passhöhe sind näher, dorthin könnten wir es schaffen. Es gibt dort eine Kneipe.«

»Hast du Licht gesehen?«

»Ich glaube nicht.«

»Dann ist es sinnlose Kraftverschwendung. Oder willst du auch noch einbrechen? Sachbeschädigung und Mundraub begehen?«

»Das wäre strafbar.«

»Mundraub nicht.«

»Doch.«

»Ich sage, wir bleiben hier sitzen und warten, bis die Schneefräse kommt.«

»Das kann die ganze Nacht dauern. Das *wird* die ganze Nacht dauern. Bis morgen früh.«

»Falls sie überhaupt kommt.«

»Die kommt schon. Der Pass hat keine Wintersperre.«

»Wie spät ist es jetzt?«

»Zwanzig Uhr sechsundvierzig.«

Fest und unverrückbar wie eine kleine Alphütte stand der Corolla am Straßenrand. Solange Tina und Max sitzen blieben und die Türen geschlossen hielten, drohte ihnen keine Gefahr. Selbst wenn es noch stundenlang weiterschneite und der Wagen vollständig zugedeckt würde, hätten sie in ihm ein warmes, windgeschütztes kleines Iglu. Das Thermometer am Armaturenbrett zeigte eine Außentemperatur von minus einem Grad Celsius an, im Innern waren es zwölf Grad; das war unangenehm, aber nicht lebensgefährlich. Sehr viel kälter würde es in dieser Nacht nicht werden, scharfer Frost war bei Westwind nicht zu erwarten. Im Kofferraum lag eine Picknickdecke, mit der Max und Tina sich zudecken konnten, und sie waren zu zweit und konnten einander warm geben. Proviant hatten sie zwar keinen dabei außer einer angebrochenen Packung Pefferminzbonbons, aber ihre Mägen waren gut gefüllt mit Speck und Kartoffeln; viel hätten sie an jenem Abend sowieso nicht mehr gegessen.

»Das wird eine lange Nacht«, sagte Max. »Ich schlage vor, wir schlafen ein bisschen.«

»Wenn du willst, dass ich unter diesen Umständen schlafe, musst du mich schon k.o. schlagen.«

»Das kann ich machen. Aber ich fürchte, du könntest dabei Schaden nehmen.«

»Die französische Polizei hat ihre Häftlinge früher gern mit Telefonbüchern verprügelt. Das hinterließ keine sichtbaren Spuren.«

»Ich glaube nicht, dass wir ein Telefonbuch dabeihaben.«

»Wenn wir eins dabeihätten, müsstest du mich damit nicht unbedingt k.o. schlagen. Du könntest mir daraus vorlesen, bis ich eingeschlafen wäre.«

»Ich würde auf Seite eins anfangen und dir quer durchs Alphabet alles vorlesen. Sämtliche Namen, Adressen und Telefonnummern.«

»Bis ich eingeschlafen wäre.«

»Und danach würde ich dir weiter vorlesen, damit du mir nicht plötzlich wieder aufwachtest. Die ganze Nacht würde ich vorlesen im Singsang eines Muezzins, und du würdest alle halbe Stunde ein wenig aus dem Tiefschlaf hochdämmern, mir eine Weile zuhören und dich wundern, wie viele Namen und Menschen es doch gibt auf der Welt. Und dann würdest du wieder hinübergleiten in die andere Welt.«

»Das wäre schön. Man sollte immer ein Telefonbuch an Bord haben.«

»Das steht bestimmt auch so im Toyota-Handbuch. Willst du, dass ich für dich nachschlage? Unter T wie Telefonbuch?«

»Lass gut sein.«

»Wenn ich es mir so überlege, brauche ich gar kein Telefonbuch. Ich kann dir aus dem Toyota-Handbuch vorlesen. Wart mal kurz, ich hab's gleich.«

»Jetzt lass doch mal gut sein. Im Handschuhfach liegt gar kein Handbuch.«

»Nein? Du hast aber gesagt ...«

»Das habe ich nur so gesagt. Toyota druckt keine Handbücher mehr. Die haben jetzt Websites.«

»Verstehe. Haben wir sonst etwas dabei, was ich dir vorlesen könnte? Eine alte Zeitung? Eine Packungsbeilage? Einen Reiseführer?«

»Ich glaube nicht.«

»Dann erzähle ich dir etwas. Soll ich dir eine Geschichte erzählen? Eine aus der Gegend hier?«

»Eine wahre Geschichte?«

»Selbstverständlich eine wahre Geschichte, was glaubst du denn. Wieso sollte ich dir eine unwahre Geschichte erzählen?«

»Alles klar.«

»Ich wüsste gar nicht, wie das gehen sollte, dir eine unwahre Geschichte zu erzählen. Ich kann mir keine Geschichten aus den Fingern saugen, meine Finger geben das nicht her.«

»Ich weiß.«

»Wobei es gar nicht so wichtig ist, ob eine Geschichte wahr ist oder nicht. Wichtig ist, dass sie stimmt.«

»Erzählst du mir jetzt die Geschichte?«

»In diesem Fall ist es aber doch wichtig, dass sie wahr ist. Diese Geschichte hier hat sich wirklich so zugetragen, ich schwöre es. Sonst könnte ich sie dir gar nicht erzählen.«

»Wieso nicht?«

»Du wirst schon sehen.«

»Fängst du jetzt an?«

»In Ordnung, pass auf. Siehst du die Melkhütte dort oben am gegenüberliegenden Hang?«

»Wo?«

»Geradeaus. Am Hang.«

»Ich sehe nur Schneesturm.«

»Am Fuß der Felswand. Die Melkhütte.«

»Da ist Schneesturm. Und schwarze Nacht.«

»Gleich da. Am Hang.«

»Ich sehe überhaupt nichts. Und ich wette, du siehst auch nichts.«

»Ich sehe alles. In der Gegend hier kenne ich mich aus.«

»Aber sicher.«

»Ich bin hier geboren und aufgewachsen. Hier oben kenne ich jeden.«

»In Ordnung, alles klar. Nehmen wir also an, dort drüben stehe eine Melkhütte. Wie muss ich sie mir vorstellen?«

»Eine Blockhütte aus Rundhölzern, die im Schutz eines Felsblocks am Hang steht. Gleich da vorn, am Fuß der Felswand. Siehst du sie wirklich nicht?«

»Farbe?«

»Grau. Über Jahrhunderte in Ehren ergrautes Lärchenholz. Darüber ein mit Steinen beschwertes graues Schindeldach, als Fundament eine viereckige, leicht trapezförmige graue Trockenmauer von je etwa vier Metern Kantenlänge. Hölzerne Eingangstür ganz links an der talseitigen Front, ebenfalls grau.«

»Fenster?«

»Eines neben der Tür und eine kleine Luke im Dachgiebel.«

»Inneneinrichtung?«

»Eine offene Feuerstelle mit Kamin und Kupferkessel, ein paar Rührwerkzeuge, Töpfe und Siebe für die Käseherstellung. Daneben ein Regal, auf dem die fertigen Käselaibe reifen. In der Ecke eine Schlafstatt mit einem Strohsack.«

»Ein Strohsack?«

»Ein Strohsack aus Jute, darüber eine grobe Wolldecke. Und ein roh gezimmerter Tisch mit zwei Stühlen, darüber eine Öllampe. Alles ziemlich schwarz vom Ruß der Jahrhunderte.«

»Wer schläft auf dem Strohsack?«

»Ein Jüngling, ein Knabe fast noch. Schwarzes Kraushaar und hellgraue Augen, dunkle Schatten auf den Wangen; er rasiert sich einmal die Woche. Mit seinem Messer. Ein höllisch scharfes Messer. Er wetzt es täglich an einem Stein.«

»Klingt gut. Ein Freund von dir?«

»Er hat muskelbepackte Schultern wie ein Faustkämpfer und schmale Lenden wie ein Luchs. Und er ist flink auf den Beinen wie eine Gemse.«

»Nun übertreib mal nicht.«

»Wie eine Gemse, wenn ich es doch sage. Eigentlich sogar flinker. Er jagt die Gemsen, weißt du?«

»Dein Freund ist ein Jäger? Dann erzähl mir bitte eine andere Geschichte. Ich mag keine Jäger.«

»Den hier wirst du mögen. Er jagt nicht, um zu töten, sondern um sich zu ernähren.«

»Verstehe.«

»Und weißt du, wie er das macht? Er rennt den Gemsen hinterher. Wenn er irgendwo am Hang ein paar von ihnen sieht, holt er sein Gewehr aus der Hütte, eine vorsintflutliche französische Muskete mit Steinschloss übrigens, und nimmt die Verfolgung auf. Dann flüchten die Gemsen bergauf. Sie flüchten immer bergauf, das befiehlt ihnen ihr Instinkt. Für die Gemsen kommt alle Gefahr von unten, das haben sie gelernt aus zehntausendjähriger, bitterer Erfahrung seit dem Ende der letzten Eiszeit; der Säbelzahnlöwe, der Braunbär, der Wolf, der Luchs, der Mensch – immer sind ihre Mörder aus den Wäldern unten im Tal heraufgestiegen. Und darum flüchten die Gemsen hinauf, den Bergspitzen entgegen. Dort oben finden sie Ruhe, Frieden und Sicherheit.«

»Was ist mit Raubvögeln?«

»Na gut, die kommen von oben. Hin und wieder stürzt sich ein Lämmergeier oder Steinadler vom Himmel und holt sich ein Kitz. Aber ansonsten kommt alle Gefahr aus dem Tal.«

»Und Steinschlag?«

»Über Steinschlag zerbrechen sich Gemsen nicht den Kopf. Gegen Steinschlag kann man nichts machen.«

»Nein?«

»Steinschlag ist unvermeidlich. Langfristig stürzt jeder Berg ins Tal, diese geologische Tatsache ist allen Bergbewohnern überall auf der Welt jederzeit bewusst. Alles, was oben ist, muss nach unten, früher oder später endet jede Topographie in der Ebene. Wenn du Pech hast, trifft dich ein Stein am Kopf, wenn nicht, dann nicht. Lohnt sich nicht, darüber nachzudenken. Da kannst du nichts machen.«

»Es gibt aber doch geschützte Stellen.«

»An geschützten Stellen gibt es nicht genug zu fressen. Du kannst als Gemse nicht dein ganzes Leben an geschützten Stellen verbringen. Darum ist Steinschlag für Gemsen kein Thema.«

»Und Lawinen?«

»Soll ich jetzt mit meiner Geschichte fortfahren? Oder möchtest lieber du ein Referat über Lawinen halten?«

»Entschuldigung.«

»Die Gemsen flüchten also bergauf, und natürlich sind sie viel schneller als der Jüngling mit seiner Muskete. Würden sie dieses Tempo nur fünf oder zehn Minuten durchhalten, hätte der Jüngling ihre Fährte verloren und die Gemsen wären in Sicherheit.«

»Und deine Geschichte wäre zu Ende.«

»Das nicht, aber die Gemsen wären in Sicherheit. Nur tun sie das nicht, die einfältigen Viecher, sie laufen nicht weiter, sondern bleiben hinter dem nächsten Fels stehen und gucken um die Ecke, ob der Jüngling etwa schon angekeucht kommt. Und wenn er heran ist, tippeln sie wieder ein paar Schritte bergauf, bleiben erneut hinter der nächsten Felsnase stehen und gucken um die Ecke wie beim Räuber-und-Gendarm-Spiel.«

»Blöde Viecher.«

»Es ist die Arroganz des von Natur aus Überlegenen, der den Gemsen dieses Verhalten vorschreibt, sie können nicht anders. Ihr Instinkt befiehlt ihnen, niemals weiter oder schneller zu rennen als unbedingt nötig, denn sie müssen sparsam mit ihren Kräften umgehen. Das ist eine Frage des Überlebens, verstehst du, Gemsen verwenden Tag für Tag viele Stunden verdammt harte Arbeit darauf, genügend Energie für ihre Muskeln anzufressen mit dem spärlichen Grünzeug, das hier oben wächst. Darum dürfen sie nicht mehr Kalorien verbrennen als unbedingt nötig, und darum rennen sie bei Gefahr nicht panisch drauflos bis zur Erschöpfung, sondern tippeln immer nur um die nächste Ecke.«

»Max? Ist das zoologisch einigermaßen solid, was du mir da erzählst?«

»Der wissenschaftliche Name der Gemse ist Rupicapra rupicapra, ist das nicht hübsch? Die Viecher sind in diesem Gelände unschlagbare Sprinter, sie halten sich den Jüngling mit Leichtigkeit vom Leib. Er aber ist ein Marathonläufer und weiß, dass die Zeit auf seiner Seite ist; wenn er nur ihre Fährte nicht verliert, haben die Gemsen auf der langen Strecke keine Chance gegen ihn. Über kurz oder lang wird die Schwächste das Rennen entkräftet aufgeben und der Jüngling als Siegerpreis dreißig bis vierzig Kilogramm proteinreiche Nahrung nach Hause tragen. Er muss nur durchhalten.

So rennt und rennt der Jüngling den Gemsen hinterher, barfuß klettert er über Geröllhalden bergauf und stolpert über Bergwiesen hinunter ...«

»Barfuß?«

»Den Sommer über läuft er barfuß, im Winter trägt er gamslederne Stiefel und Schneeschuhe, die er aus Zedernholz und Lederstreifen anfertigt. So durchsteigt er die tiefsten Schluchten und tänzelt über die schmalsten Grate, immer hinter den Gemsen her, er schlittert über Schneefelder und klettert an schrundigen Felswänden himmelwärts, bis die Herde allmählich langsamer wird, immer öfter Pausen einlegt und ihn immer näher herankommen lässt; dann dauert es nicht mehr lange, bis die schwächste Gemse erschöpft stehen bleibt und der Jüngling, endlich auf Schussdistanz herangekommen, mit der mitleidlosen Einfühlsamkeit des Jägers, für den die Unausweichlichkeit des Todes kein Skandal, sondern ein Faktum ist, sein Gewehr in Anschlag bringt. Nachdem er abgedrückt hat, hallt es wie Theaterdonner zwischen den Bergflanken, der Donner bricht sich, vervielfältigt sich und wird schwächer, und während die Bergdohlen aufflattern und schwarz in die Höhe steigen, kullern unter den Hufen der flüchtenden Gemsen die Steine zu Tale. Dann breitet sich Stille aus über dem toten Tier, und während noch im letzten Glimmen seiner erlöschenden Existenz die Hinterläufe zucken, ist der Jüngling schon heran und zieht sein Messer. Er lässt seine Beute ausbluten und weidet sie aus, dann schwingt er sie sich auf die Schultern und trägt sie den ganzen Weg zurück bis zur Melkhütte, manchmal viele Stunden lang. Dort zieht er ihr das Fell ab, schneidet das Muskelfleisch in Streifen und hängt es zum Räuchern in den Kamin.«

»Hat er kein Tiefkühlgerät? Keinen Strom in der Hütte?«

»Er lebt in dunkler Vorzeit, das solltest du schon bemerkt haben.«

»Ich hab's geahnt.«

»Wir schreiben das Jahr 1779. Der Jüngling ist zweiundzwanzig Jahre alt und heißt Jakob Boschung. Das Fleisch der Gemse wird er essen, aus ihren Hörnern wird er Knöpfe schnitzen und aus ihrem Fell Leder gerben, und mit ihren Sehnen wird er das Leder in langen Winternächten zu Hosen, Handschuhen und Stiefeln vernähen.«

»Hat es den Jüngling wirklich gegeben?«

»Wenn ich es doch sage.«

»Wieso lebt er allein dort oben?«

»Ach, das ist eine scheußliche und langweilige Geschichte, die ich dir nicht erzählen will. Du weißt schon, die Eltern sind mausarme Bergbauern in einem schattigen Seitental und so weiter. Wir befinden uns hier übrigens genau auf der Sprachgrenze, die Leute sprechen deutsch und französisch in einem eigenwilligen Dialekt. Eines Winters sterben Jakobs drei jüngere Geschwister an der Grippe, der Vater muss sie bis zum Frühjahr im Schnee begraben, weil der Boden hart gefroren ist. Dann stirbt auch die Mutter, der Vater muss sie neben den Kindern im Schnee begraben. Und dann stirbt auch der Vater, Jakob muss ihn neben der Mutter und den Geschwistern im Schnee begraben. Hundert Tage und Nächte ist er allein im Haus. Er wartet bis zum Frühling, dann hebt er an einem sonnigen Plätzchen, wo der Boden früher auftaut als anderswo, eine Reihe von fünf Gräbern aus, holt seine hartgefrorenen Geschwister und die Eltern aus dem Schnee und legt sie in die Gräber. Dann muss er umziehen zu einem kinderlosen Onkel in einem anderen Seitental. Der ist ein Sadist mit einem Ledergürtel und einer Frau, die schon längst nicht mehr aufmuckt, und die Dörfler schweigen und schauen weg, weil der Onkel sonntags nach der Messe mit dem Dorfpfarrer und dem Landvogt in der Kneipe Karten spielt.«

»Die übliche Geschichte.«

»Nur dass der kleine Jakob sich das nicht gefallen lässt. Eines Frühlingstags, als er den Rücken wieder voller Striemen hat, flieht er hinauf in die Melkhütte, die ihm als Erbe von seinen Eltern geblieben ist, und kommt nicht mehr herunter. Die Leute im Dorf denken, dass Jakob irgendwann schon Hunger bekommen und absteigen werde, aber er steigt nicht ab. Er bekommt keinen Hunger, denn in der Melkhütte gibt es reichlich Vorräte, die noch sein Vater im Vorjahr angelegt hat. Ein paar Dörfler steigen zur Alp auf, um ihn einzufangen und ins Dorf zurückzubringen. Aber Jakob bemerkt sie rechtzeitig, macht es wie die Gemsen und flieht hinauf zu den Bergspitzen.

Dann tauchen zu seinem Glück nach ein paar Tagen – es wird wohl Osterdienstag gewesen sein – vier Knechte aus dem Greyerzer Unterland auf, die dem Bauern Boschung wie gewohnt eine Herde Rinder zur Sömmerung überlassen wollen. Sie können nicht wissen, dass der Bauer Boschung vor ein paar Monaten gestorben ist. Jakob reibt es ihnen auch nicht gerade unter die Nase, stellt sich ihnen aber wahrheitsgemäß als dessen ältester Sohn vor. Die Knechte sind mit dieser Auskunft zufrieden, überlassen ihm die Rinder und steigen wieder ab ins Unterland.

Die Herde umfasst einunddreißig Milchkühe und neunzehn Kälber. So ist Jakob den Sommer über reichlich versorgt mit Milch und Sahne, und beschäftigt ist er auch. Von seinem Vater hat er gelernt, wie man Milch zu Butter und Käse verarbeitet, und die Mutter hat ihm gezeigt, wie man wilde Himbeeren, Brombeeren und Holunder für den Winter einkocht. Nachts läuft er hinunter ins Tal und stiehlt auf einsamen Äckern da und dort ein paar Kartoffeln; er reißt immer nur einzelne Stauden in der Mitte des Feldes aus, damit der Diebstahl nicht auffällt. Im Herbst kehren die Knechte wieder und holen die Kühe ab. Und dann entdeckt Jakob eines Morgens im Gebälk seiner Melkhütte die sorgfältig in ein Öltuch gewickelte französische Muskete, die irgendein wildernder Vorfahr dort versteckt haben muss; ein Beutel Schwarzpulver sowie ein Säckchen mit Bleikugeln und Schusspflastern liegen auch dabei. Er macht sich mit ihrer Funktionsweise vertraut, absolviert ein paar Schießübungen und erlegt schon bald seine erste Gemse. So kommt er ziemlich wohlgenährt durch den Winter, und als der Frühling wiederkehrt und der Schnee schmilzt ... Schläfst du schon?«

»Nein.«

»Jakob lebt ganz allein auf seiner Alp. Im Sommer ist er bei seinen Kühen, melkt sie morgens und abends und macht Käse aus ihrer Milch. Er führt sie auf die fettesten Weiden und stellt ihnen den Salzstein zum Lecken bereit, und um sie vor den Bremsen zu schützen, entzündet er Mottfeuer aus feuchtem Heu. Wenn ein Wolf oder Bär sich der Herde nähert, vertreibt er ihn mit einem Stock, und wenn ein Kalb sich in den Felsen verirrt hat, trägt er es auf seinen starken Armen zurück auf die Weide. Frisst eine Kuh ein falsches Kraut und liegt mit Blähungen darnieder, sticht Jakob sie mit seinem Messer in die Seite, und die Kuh lässt es vertrauensvoll geschehen und leckt ihm nach eingetretener Erleichterung mit ihrer rauen Zunge dankbar die Hand.

Nachts kriecht ihm die Einsamkeit ins Gedärm und die Furcht, dass in der Dunkelheit ein wildes Tier sich anschleichen könnte. In der Ferne kreischt manchmal ein Gletscher, der mit seinen Eismassen übers Gestein gleitet; das klingt mal wie ein weinendes Kind, dann wieder wie eine wehklagende Greisin und geht Jakob durch Mark und Bein. In solchen Nächten sucht er Schutz und Trost in der Wärme der

Kuhleiber, legt sich zwischen sie zur Ruhe und singt ihnen ein Lied, und die Kühe nehmen ihn auf wie ein Kalb und geben acht, dass sie ihn im Schlaf nicht erdrücken. Außer dem Schnaufen der Kühe und Jakobs Herzschlag ist dann nichts mehr zu hören. Viele Stunden liegt er wach in der dunklen Schönheit der Nacht, sieht hinauf in den schwarzen Himmel und betrachtet die lautlose, augenscheinlich uhrwerkhaft regelmäßige und doch so unverständliche Mechanik der Gestirne, und dann sucht er Trost in der Hoffnung, dass er selber, auch wenn er seinen Platz in dieser Mechanik nicht begreift, ein funktionierendes Teilchen dieses großen Uhrwerks sei.

Sieben Jahre lebt Jakob allein dort oben, an etwa dreihundert Tagen im Jahr begegnet er keiner Menschenseele. Das Sprechen hat er so ziemlich verlernt, nur ein paar Dutzend Wörter auf Französisch und Deutsch sind ihm geblieben. Die Leute im Dorf haben ihn nicht vergessen, aber sie lassen ihn in Ruhe. Sie halten ihn für einen Kauz, einen Eremiten, ein Wolfskind. Für nichts zu gebrauchen, aber harmlos.

Manchmal stolpert er am Fuß der Kalkfelsen, die hinter seiner Hütte schroff in die Höhe ragen, über steinerne Abbilder von Lebewesen – Riesenschnecken, flachgedrückte Fische, Pfeilschwanzkrebse, Seepferdchen und ganze Muschelbänke. Die schönsten steckt er ein, um sich abends in seiner Hütte den Kopf über die Natur dieser Steinwesen zu zerbrechen. Sie sind augenscheinlich tot und aus Stein, auch wenn man sie aufbricht und zermalmt, kommt nichts als Stein und Sand zum Vorschein. Und doch müssen sie lebendige oder gelebt habende Geschöpfe Gottes sein, denn derart vollkommene Schönheit kann weder aus sich selbst entstehen noch von Menschenhand geschaffen werden. Wieso aber sind es ausschließlich Wassertiere, die Jakob in dieser staubtrockenen Steinwüste findet? Warum immer nur Krebse, Fische und Schnecken, wo doch weit und breit kein nennenswertes Gewässer fließt? Sind diese Steinwesen etwa gar keine Ausgeburten des Wassers, sondern des Felsens? Und ist der Berg in Wahrheit gar keine feste Materie, sondern ein äußerst zähes Gewässer, das menschlicher Wahrnehmung nur deshalb starr erscheint, weil es so langsam fließt? Das könnte wohl möglich sein, denn wo immer sich ein Blick ins Innere des Bergs auftut – in Schluchten und Felswänden, nach Bergstürzen und in Steinbrüchen –, liegt die Wellennatur des Gesteins klar zutage. Ist also das Gestein ein unmerklich langsam fließendes Wasser, in dem harte, zähe Steintiere ihr hartes, zähes, langsames und langes Steinleben leben, bis sie sterben und der Fels sie unmerklich langsam ins Geröll am Fuß der Wand ausspuckt?

Längst hat Jakob Boschung es aufgegeben, diese Steinwesen verstehen zu wollen, indem er sie zertrümmert, im Feuer brennt, im Wasser kocht, zermahlt und ihren Geschmack mit der Zunge kostet. Ihr Rätsel ist nicht zu enthüllen, aber immerhin beißen, stechen oder kneifen sie nicht, und ungiftig sind sie allem Anschein nach auch. Also hat Jakob seinen Frieden mit ihnen geschlossen. Er nimmt die Steinwesen als das, was sie sind, ihre Existenz erklärt sich aus sich selbst und ist darüber hinaus nicht weiter erklärbar.

Die schönsten Exemplare – kleine Wasserschnecken, Krabben, Seepferdchen – nimmt er mit in seine Hütte, um sie in langen Winternächten mit dem Messer aus ihrem steinernen Bett zu befreien und zu polieren, bis sie glänzen.

Bist du noch wach?«

»Ja.«

»Gut. Ich fange jetzt nämlich an mit meiner Geschichte. Sie beginnt an einem goldenen Nachmittag im September 1779. Jakob hat sich zuoberst auf der Alp, bei den Felswänden, ins Gras gelegt und wärmt sich in der Sonne. Noch weht der Wind aus Südwesten, aber bald wird er auf Nordwest drehen, und dann wird der erste Schnee fallen. Die Kühe sind rund und wohlgenährt nach einem langen Sommer auf der Alp, und sie sind sauber gestriegelt und ihre Hörner blumengeschmückt.

Jakob rappelt sich auf und horcht – tief unten kullern Steine ins Tal; Steine, die von Stiefeln losgetreten wurden. Dann hört er Schritte; die Schritte von drei oder vier Männern. Und das Getrappel von Maultieren. Dann hört er Stimmen. Schleppendes Bauerngemurmel. Französisch. Dann kann er die Männer und die Maultiere sehen. Und bald auch riechen.

Es sind die Knechte aus Greyerz, die gekommen sind, die Kühe abzuholen und den Käse mitzunehmen. Sie kennen Jakob und wissen, dass man mit ihm nicht reden kann. Sie winken und grinsen und nicken ihm von weitem zu, dann klopfen sie ihm gönnerhaft auf die Schulter und fragen, wie es ihm gehe. Zur Antwort deutet Jakob stumm und stolz auf die Kühe, die mit ihren schönen Augen fragend zu den Männern hinüberschauen, und dann lässt er die Knechte stehen und geht hinüber zur Leitkuh, krault sie am Maul und brummt ihr etwas ins Ohr, worauf die ganze Herde sich in Bewegung setzt und hinter Jakob her zum Gatter trottet, das von der Alpweide auf den Saumweg führt.

Dort warten die Kühe geduldig, bis die Knechte den Maultieren die Käselaibe aufgeladen haben. Jakob verriegelt die Melkhütte, öffnet das Gatter und betritt vor der Leitkuh den schmalen Saumpfad, der durchs ganze lange Tal bis hinunter nach Greyerz führt. Ist die Leitkuh erst mal durch das Gatter hindurchgegangen und auf dem Saumpfad unterwegs, kann bis ins Ziel nichts mehr schiefgehen, denn der Pfad ist schmal, hat keine Abzweigungen und kennt nur eine Richtung: abwärts durchs Tal bis ins Flachland. Solange die Leitkuh läuft, trotten alle Rinder hinter ihr her und haben nur einen Gedanken in ihren großen, harten Schädeln: der Leitkuh hinterherzulaufen, wohin und wie lange auch immer.

Zwei Tage dauert der Abstieg auf dem Saumpfad den Jaunbach entlang. Unten im Tal sind die Wiesen noch grün und fett und die Sonne brennt, als würde der Sommer noch lange dauern. Aber Jakob lässt sich nicht täuschen, er weiß Bescheid, wie auch die Käfer, die Frösche und die Braunbären Bescheid wissen. Die Tage sind kürzer geworden, das Laub an den Bäumen ist matt, die Zugvögel fliegen in den Süden. Sogar das Wasser im Bach fließt nur noch zögerlich, als wüsste es schon, dass hier bald alles gefrieren wird.«

»Moment«, sagte Tina. »Begleitet Jakob die Kühe bis hinunter ins Unterland?«

»Ja.«

»Wieso das denn?«

»Das ist seine Aufgabe, die Kühe vertrauen ihm. Er begleitet die Kühe jeden Herbst hinunter, seit sieben Jahren schon.«

»Bis zum Hof des Bauern?«

»Natürlich. Der Bauer muss Jakob den Lohn zahlen.«

»Dann lass mich raten«, sagte Tina. »Der Bauer hat eine Tochter.«

»Natürlich hat er eine Tochter.«

»Das habe ich befürchtet.«

»Alle Bauern haben Töchter. Bauernfamilien sind gemeinhin ausgesprochen kinderreich, da können Töchter nicht ausbleiben.«

»Ich wette, die Tochter spielt Harfe und hat blonde Zöpfe.«

»Das nicht, soviel ich weiß.«

»Aber eine Stimme wie Milch und Honig hat sie. Und wunderschön ist sie auch, nicht wahr?«

»Das Mädchen ist neunzehn, in dem Alter sind alle Menschen hübsch. Wer mit neunzehn nicht hübsch sein möchte, müsste ziemlich viel dagegen unternehmen.«

»Wie heißt sie denn?«

»Marie-Françoise.«

»Jetzt komm aber.«

»Was soll ich denn machen, so heißt sie nun mal, das ist eine historische Tatsache. Die Leute rufen sie Marie.«

»Und was macht sie?«

»Wie, was macht sie?«

»Was macht die Marie, als Jakob mit seinen Rindern auf dem Bauernhof eintrifft?«

»Weiß nicht. Schaut aus dem Fenster und guckt, nehme ich an.«

»Verstehe. Dein Held ist ein alpiner Tarzan, aber die Heldin ist einfach nur neunzehn, guckt aus dem Fenster und tut gar nichts. Und unter dem Fenster blühen die Geranien, da wette ich drauf.«

»Doch, die tut schon was. Die arbeitet den ganzen Tag auf dem Hof, und auch sonst tut sie noch einiges. Du wirst schon sehen.«

»Jedenfalls guckt sie nur aus dem Fenster, als der Alpentarzan kommt.«

»Jawohl, da macht sie kurz Pause. Übrigens steht Jakob in dem Augenblick auch nur unten im Hof. Steht da und glotzt zum Fenster hoch. In Augenblicken wie diesen begehen die wenigsten Menschen nebenbei noch weltverändernde Heldentaten.«

»Du zum Beispiel hast ein Eis gekauft.«

»Du auch. Jedenfalls stehen sie beide nur so da, sie am Fenster und er im Hof. Das ist es ja gerade, dass äußerlich gar nichts Besonderes passiert. Es ist völlig egal, ob sie am Fenster oder woanders steht.«

»Nein, das ist nicht egal. Soll das Mädchen einfach nur am Fenster stehen, mit seinen blonden Zöpfen spielen und nichts tun, während er die Leitkuh hypnotisiert und mit bloßen Händen Braunbären verprügelt?«

»Wer sagt überhaupt, dass sie blond ist?«

»Du sagst das.«

»Das habe ich nicht gesagt«, sagte Max. »Die blonden Zöpfe hast du hinzugefügt. Die sind eine sexistische Phantasie von dir.«

»Was ist an blonden Zöpfen sexistisch?«

»Jedenfalls ist mir Maries Haarfarbe unbekannt. Sie wird in den Quellen nirgends genannt.«

»Von deinem Tarzan hingegen wissen wir alles. Graue Augen, dunkles Haar, Körperlänge.«

»Weil er sich militärisch mustern ließ. Man kann Jakobs körperliche Merkmale in den Musterungsrollen nachlesen, die im Staatsarchiv des Kantons Freiburg verwahrt werden.«

»Und Marie?«

»Ist eben nie zum Militär gegangen. Übrigens ist es wirklich nicht wahr, dass sie nichts tut. Sie ist ein Bauernmädchen, die tut von morgens früh bis abends spät etwas. Wenn es dir lieber ist, kann sie im Augenblick ihres ersten Auftritts auch im Garten stehen und Tomaten pflücken. Mit flinkem, sicherem Griff nimmt sie jede Tomate einzeln von der Staude, reibt sie mit einem feuchten Lappen ab, bis sie glänzt, und legt sie achtsam in eine Kiste, und gleichzeitig hat sie ein Auge auf ihre borstenschädeligen, flachgesichtigen kleinen Geschwister, die zwischen den Beeten missmutig unlustige Spiele spielen und keinerlei Ähnlichkeit mit ihrer großen Schwester haben.

Neben Marie steht wachsam ein Hund. Sie tätschelt ihm zärtlich die Flanke, dann winkt sie rasch zu Jakob hinüber. Er winkt zurück. Marie und Jakob winken einander schon seit sieben Jahren von ferne zu. Aber näher gekommen sind sie sich noch nie, der Bauer hat es nicht zugelassen. Er hat Jakob immer gleich fortgescheucht, nachdem er ihn bezahlt hatte, wie er auch Jakobs Vater stets fortgescheucht hat. Der Bauer hat nichts gegen die Hirten aus den Bergen, mit Kühen können diese Hungerleider wirklich gut umgehen. Aber auf seinem Hof sollen sie keine Wurzeln schlagen, das bringt nichts.

Die Rinder fangen an zu schnauben in Jakobs Rücken. Sie wollen wissen, ob die Reise bald weitergeht. Die Leitkuh reibt ihren Kopf an seiner Schulter. Er flüstert ihr etwas ins Ohr, worauf sie sich hinlegt und alle anderen Rinder sich ebenfalls hinlegen. Marie beobachtet das vom Gemüsegarten aus. So etwas hat sie noch nie gesehen. Im letzten Herbst hat Jakob diesen Trick noch nicht vorgeführt. Der Hund schaut ebenfalls mit aufmerksam aufgerichteten Ohren zu.«

»Was für ein Hund ist das?«

»Wie?«

»Ich würde mir den Hund gern vorstellen können.«

»Ein zotteliger Berner Sennenhund, etwa vier Jahre alt. Breiter Schädel, schwarzbraunweißes Fell. Gutmütig, kinderlieb. Oben rechts fehlt ihm ein Backenzahn. Ich werde froh sein, wenn du eingeschlafen bist, dann kann ich besser erzählen.«

»Und weiter?«

»Der Hund ist Maries bester Freund und ihr Beschützer, er folgt ihr auf Schritt und Tritt. In hellen Vollmondnächten heult er draußen wie ein Wolf, dann nimmt sie ihn zu sich ins Bett. Wachsam beobachtet der Hund den jungen Burschen und dessen Kühe, zwischendurch wirft er fragende Blicke zu seiner Herrin hoch. Die Sache ist ihm nicht geheuer, irgendetwas geht hier vor sich. Manche Hunde spüren gewisse Dinge. Es gibt Hunde, die ahnen Erdbeben voraus oder können es riechen, wenn ein Kind krank wird. Andere spüren den Trunkenbold oder den Schläger in einem Mann, wieder andere wittern falsche Herzlichkeit oder können Geister und Untote sehen; dieser Berner Sennenhund spürt, dass sich zwischen Marie und Jakob etwas Bedeutsames anbahnt.

Dabei geschieht vorerst gar nicht viel. Er sieht sie und sie sieht ihn, das ist alles; die beiden verstehen gar nicht, was vor sich geht, sie kennen die Liebe noch nicht. Marie hat sie bei Freundinnen beobachtet und versteht sie als einen Zustand vorübergehender Unzurechnungsfähigkeit bei erhöhter Körpertemperatur. Für Jakob ist sie das, was der Stier auf der Weide mit der Kuh macht.

In dieser einen Sekunde aber, da sie einander zuwinken, erkennt Marie im klaren Blick seiner hellgrauen Augen, dass er sie ganz und gar wahrnimmt, ohne Vorbehalt und ohne Urteil, und auch Jakob kann sehen, dass sie ihn erkannt und in sich aufgenommen hat. Wie ein Blitz durchfährt sie beide die Erleuchtung, auf einen Schlag wird ihnen alles, wirklich alles klar – sie verstehen den Sinn des Lebens und die Wellennatur der Materie, sie erfassen Anfang und Ende aller Zeiten und wissen, was vor dem Urknall war, nämlich noch ein Urknall und noch einer und noch einer, es ist ein Pulsieren ohne Anfang oder Ende; sie kennen die eine einfache und elegante Gleichung, die den ganzen Kosmos erklärt, ebenso sind ihnen Zeitreisen, Telepathie und Seelenwanderung geläufig, während nur für sie allein die Sonne aufgeht, alles andere unwichtig wird und rings um sie her die Welt versinkt. Es ist ein köstlicher, herrlicher, erhebender Augenblick. Marie und Jakob wünschen sich, dass er niemals enden möge.

Aber leider kann er nicht andauern. Augenblicke wie dieser verweilen nie. Immer ist jemand zur Stelle, ihm viel zu früh ein Ende zu bereiten. Manchmal sind es die Verliebten selbst, die etwas Ungeschicktes tun oder etwas Blödes sagen. Im vorliegenden Fall ist es Maries Vater, der anfängt rumzubrüllen.

Was steht seine Tochter da zwischen den Tomaten, als ob sie in die Hose geschissen hätte, die dumme Gans? Wieso schlägt sie die Augen nieder, grinst wie eine Idiotin und hält sich mit beiden Händen am Saum ihrer Schürze fest, als müsste sie sonst hinfallen? Und was hat der ungewaschene Hirtenbengel noch auf seinem Hof verloren? Er hat die Rinder hergebracht, na gut, aber jetzt hat er seinen Lohn bekommen. Was steht er noch rum und hält Maulaffen feil? Was ist denn hier los, verdammt nochmal?

Natürlich weiß der Bauer ganz genau, was los ist. Er kennt die im Tierreich gebräuchlichen Balzrituale, die sind bei allen Viechern ungefähr gleich. Manche glucksen oder gurren, um die Aufmerksamkeit des anderen Geschlechts auf sich zu ziehen, andere jaulen oder miauen, einige tanzen rechtsrum oder linksrum, grinsen idiotisch oder stehen wie vom Donner gerührt zwischen Tomatenstauden und halten Maulaffen feil, aber das Ziel allen Balzens ist doch letztlich immer das gleiche.

Und das Resultat dann eben auch.

Gegen dieses Resultat hat der Bauer grundsätzlich nichts einzuwenden, dessen Herbeiführung ist sozusagen sein Geschäftsmodell. Aber nicht bei seiner Tochter. Zumindest nicht jetzt schon, sie ist erst neunzehn. Na gut, andere Töchter sind in diesem Alter schon verheiratet und niedergekommen, manche sogar mehrfach, und er selbst hat damals mit seiner Josephine drüben im Heuschober ... Aber nicht seine Tochter, das ist etwas anderes. Und ganz sicher nicht mit diesem Alpentrampel. In einem Jahr oder zweien wird man die Sache vielleicht mal angehen können, irgendwann wird es ja schon sein müssen. Zwei oder drei Kandidaten hat der Bauer schon im Auge, er wird mit den Vätern bei Gelegenheit ein Wörtchen reden. Aber noch nicht jetzt, wie gesagt. Nächsten oder übernächsten Herbst wird man Nägel mit Köpfen machen, und im darauf folgenden Frühling bekommt das Mädchen dann seine Mitgift und kann heiraten und so weiter. Aber nicht jetzt schon. Und sicher nicht mit diesem Barfußbengel.

Also brüllt der Bauer in alle Himmelsrichtungen. Er scheißt die Knechte zusammen, brüllt zur Tochter hinüber und ruft verdammt nochmal nach seiner Frau, dann droht er dem Hund Prügel an und brüllt schließlich auch noch zum Hirtenbengel hinüber, dass dieser sich verflucht nochmal zum Teufel scheren soll, weil der Bauer jetzt Gottverdammich die Faxen langsam satt hat. Das Gebrüll zeigt Wirkung. Die Knechte trollen sich mit den Kühen. Das Mädchen wendet sich wieder den Tomaten zu, der Hund verschwindet hinter ihrem Rock. Die Frau kommt herbeigelaufen. Der Hirtenbengel macht, dass er Land gewinnt. Der Bauer ist zufrieden.

Aber da, was ist das? Die Knechte feixen im Weggehen. Der Bauer grinst ihnen höhnisch hinterher. Die sollen nur abwarten, denen wird er schon Respekt beibringen. Derweil steht die Bäuerin breitbeinig auf dem Hof, lässt den Blick besorgt hin und her fliegen und versucht zu verstehen, was los ist. Und seine Tochter, die Idiotin? Hat sich hinter die Tomatenstauden geschlichen und glotzt hinter dem Grünzeug hervor, als sei sie dort unsichtbar, wie sie aufgeregt den Hals verdreht, ihr weißes Strickjäckchen zurechtzupft und sich eine Strähne aus der Stirn streicht. Fehlt nur noch, dass sie sich einen Finger in den Mund steckt, das hirnlose Ding. Und der ungewaschene Sennenbub, dieses Inzuchtbürschchen aus dem hintersten Alpental am Arsch der Welt? Keine zwanzig Schritte hat er gemacht, jetzt steht er schon wieder still und verfurzt dem Bauern die Atemluft. Saukerl. Und da, was ist das? Hebt er doch die Hand und winkt zu den Tomatenstauden hinüber wie ein Seemann, der in See sticht, und zwar über den Kopf des Bauern hinweg! Das ist doch der Gipfel der Unverschämtheit. Der Bauer packt seinen Stock und stürmt auf den Saukerl los, worauf sich Jakob wieder in Bewegung setzt. Er rennt aber nicht kopflos davon, sondern bleibt nach wenigen Schritten schon wieder stehen und schaut lässig über die Schulter, ob der Bauer etwa schon angekeucht kommt. Und als er dann kommt, schlägt er sich seitlich ins Gebüsch.

Im nahen Städtchen ist Herbstmesse in diesen Tagen, das ganze Land ist in Festlaune. Von überall her haben die Alphirten das Vieh ins Flachland getrieben, und die Bauern haben ihre Ernte eingebracht. Tagsüber ist Markt auf dem Kirchplatz, abends wird auf der hölzernen Bühne zum Tanz aufgespielt.

Der Bauer Magnin hat sich festlich herausgeputzt. Er trägt seine schwarze Samtjacke mit kurzen Puffärmeln, dazu eine braune Hose und ein weißes Hemd mit einer grünweißroten Kordel um den Kragen. An seinem linken Arm geht würdevoll mit weißer Haube und schwarzem Rock die Gattin, am rechten Arm arglos farbenfroh Tochter Marie-Françoise. Die Marktleute grüßen respektvoll, Magnin ist der reichste Bauer im Ort. Seine Laune ist gut, denn sein Geldbeutel ist voll; er hat alle Geschäfte dieses Jahres sehr zu seinem Vorteil abgeschlossen. Die gesamte Kartoffel- und

Weizenernte ging für einen schönen Preis nach Straßburg, der Käse von der Alp ist unterwegs in die Lombardei und das Schlachtvieh zieht dieser Tage nach Bern; das Saatgut und Jungvieh fürs nächste Jahr hat er schon eingekauft, und den Zehnten an seinen Lehensherrn hat er auch schon entrichtet.

Alles ist gut, Bauer Magnin ist zufrieden. Er kauft seiner Gattin gebrannte Mandeln, für die Tochter einen Zuckerapfel und für sich eine Flasche Quittenschnaps.

Aber was ist das?

Da sitzt doch am Rand der Viehschau dieser barfüßige Hirtenbengel auf einem Lattenzaun und glotzt seine Tochter an, als wäre sie eine preisgekrönte Milchkuh. Glotzt und glotzt, geniert sich nicht. Und was macht seine Tochter, das erbsenhirnige Huhn? Einen langen Hals macht sie, spreizt die kleinen Finger beider Hände ab und dreht die Schuhspitzen nach innen! Immerhin übersieht sie den Bengel geflissentlich, wie sich das gehört, und guckt interessiert hinauf in den blauen Himmel, als gäbe es dort weiß der Herr was zu sehen.

Energisch mahnt der Bauer Gattin und Tochter zum Weitergehen. An einem Marktstand kauft er eine Spitzendecke, am nächsten einen Wasserkrug. Aber bei der Pferdetränke steht schon wieder der junge Kerl und begafft seine Tochter. Jetzt reicht es dem Bauern aber, er weiß schon, wie man hitziges Jungvieh voneinander fernhält; für so etwas hat er Haselruten und Viehstricke in der Scheune. Grimmig zieht er seine Damen vorwärts, dem Wirtshaus entgegen. Ist erst die Gaststube erreicht, hat der Bauer gewonnen, dorthin wird der Hirtenbub sich nicht vorwagen.

Eines aber kann der Bauer nicht wissen: dass seine Tochter zu jenem Zeitpunkt schon einen wundersam runden, glatten Stein in ihrer heißen Faust verborgen hält, der die Gestalt einer Meeresschnecke hat. Wie der Stein vom Bauern unbemerkt in Maries Faust gelangen konnte, ist das Geheimnis der jungen Leute und wird es immer bleiben.

Am nächsten Tag ist die Herbstmesse vorüber, die Schausteller und Marktleute ziehen in einer langen Karawane auf der Landstraße davon, dem nächsten Städtchen entgegen. Bauer Magnin steht vor seinem Haus und sieht ihnen hinterher. Zwischen zwei Ochsengespannen schlendert ein junger Bursche, kaut an einem Grashalm und glotzt frech zu ihm hinüber. Natürlich der Hirtenbengel. Und er glotzt auch nicht den Bauern an, sondern dessen Tochter, die wie lebensmüde aus dem Fenster ihrer Kammer hängt. Jetzt reicht's dem Bauern aber wirklich, auf diesem Hof bestimmt noch immer er allein und niemand sonst, wer wann mit wem in den Heuschober steigt. Wo ist sein Stock? Jetzt zeigt er's dem Burschen, der wird sich wundern. Aber dann sind die zwei Ochsengespanne schon hinter der Anhöhe verschwunden, und der junge Kerl mit ihnen. Auch gut, denkt der Bauer, dann verprügle ich eben meine rammdösige Tochter. Aber als er sich nach ihrem Fenster umdreht, ist auch sie verschwunden. Meinetwegen, denkt er, immerhin ist der Hirtenlümmel jetzt weg. Das Problem ist fürs Erste gelöst, bis zum nächsten Herbst wird er sich nicht mehr blicken lassen.

Aber wen sieht der Bauer am folgenden Morgen bei seinem Rundgang durchs Städtchen? Den jungen Hirtentrampel, wie er einen Laib Käse von einem Ochsenkarren hebt. Einen mächtigen Laib, groß wie ein Wagenrad. Kräftig ist der Rotzlümmel, das muss man ihm lassen. Er überquert mit dem Laib die Straße und verschwindet im Gewölbekeller des Großhändlers Druez, als wäre es das Normalste von der Welt. Nun ist es tatsächlich das Normalste von der Welt, dass der Käsehändler um diese Jahreszeit einen Gehilfen einstellt; im Oktober hat er immer alle Hände voll zu tun mit dem vielen Alpkäse, der von überall her ins Städtchen kommt, damit Druez ihn nach Genf, Mailand, Paris und Frankfurt verkauft. Das bringt Geld ins Land und ist eine gute Sache, und natürlich kann Druez als Taglöhner einstellen, wen er will; aber musste es ausgerechnet dieser Saukerl sein?

Der Bauer setzt sich auf eine Türschwelle und schaut dem Lümmel zu, wie er einen Laib um den anderen in den Keller trägt. Ein ausdauernder Arbeiter ist er, das muss man ihm lassen, so einen könnte er auf dem Hof gebrauchen. Und flink auf den Beinen. Würdigt den Bauern keines Blickes, der Hundsfott, tut, als hätte er ihn nicht bemerkt. Noch nie gesehen, keine Ahnung. Dabei hat er gerade eben, als der Bauer näher kam, witternd die Nase in den Wind gehalten wie ein Wolf und ihm mit geneigtem Kopf entgegengeschaut. Komischer Bursche. Sieht nach Ärger aus. Den muss man im Auge behalten.

Der Bauer schaut Jakob bei der Arbeit zu, bis der Wagen leer und der letzte Käselaib im Keller verschwunden ist. Die Tür fällt ins Schloss, ein Riegel klackt. Der Bauer wartet. Er will dem Saukerl noch laut und deutlich raten, sich von seiner Tochter fernzuhalten, weil er ihm sonst die Eier abreißt. Aber die Tür bleibt geschlossen, der Bursche taucht nicht mehr auf. Eine Weile wartet der Bauer noch, dann hat er verstanden. Das Gebäude hat einen Hinterausgang, der hinaus auf die Felder führt.

Am späten Nachmittag sitzt der Bauer wie gewohnt auf der Sitzbank neben dem Birnenspalier und raucht Pfeife.

Da nähert sich von der Straße her eine schiefe Gestalt. Sie heißt Mathilde und ist die Nichte des Pfarrers. Seit ihre Eltern in einer Lawine ums Leben gekommen sind, wohnt sie im Pfarrhaus und geht dem Onkel zur Hand. Flache Brust und flacher Hintern, schiefe Zähne, mattes Haar. Und sie lahmt ein bisschen, ist irgendwie krumm gewachsen. Der Bauer schnaubt. Was will das freudlose Geschöpf denn schon wieder hier, bei ihrem Anblick wird einem ja ganz schwach im Gekröse. Das wird nie etwas mit dem Mädchen, die kriegt keinen Mann. Wäre Mathilde eins seiner Kälber, er hätte sie längst schlachten lassen.

Mathilde ist die beste Freundin seiner Tochter. Eine bessere kann er sich für Marie nicht wünschen, das muss er gerechterweise zugeben. Die beiden bringen einander nicht auf dumme Gedanken und machen keinen Quatsch, sondern stecken nur immer die Köpfe zusammen und gackern und gluckern irgendwas. Halten sich wohl für Geschwisterseelen.

— Na, Mathilde, was willst du?

Der Bauer schaut an dem Mädchen vorbei in die Ferne.

Mathilde macht einen schiefen Knicks und fragt hauchend, ob Marie sie vielleicht auf einen Spaziergang begleiten dürfe, drüben im Pfarreiwald seien die Haselnüsse reif.

Wenn man die jetzt nicht einsammle, mache sich fahrendes Gesindel darüber her.

Das leuchtet dem Bauern ein. Das kann man nicht wollen, dass fahrendes Gesindel sich über Haselnüsse hermacht. Stumm deutet er mit der Pfeife zur Waschküche.

Wenig später sind die zwei Mädchen unterwegs in den Pfarreiwald. Der Weg führt sie mitten durchs Städtchen und auf der anderen Seite wieder hinaus. Dort sitzt am Straßenrand wie zufällig ein barfüßiger Bursche. Er steht auf, reißt sich die Mütze vom Kopf und fragt, ob er die Damen ein Stück begleiten dürfe. Er darf.

Mathilde geht in der Mitte, Marie und Jakob gehen links und rechts von ihr. Die drei jungen Leute reden über alles und jeden, über nichts und niemanden, es ist völlig gleichgültig. Die meiste Zeit reden die zwei Mädchen, Jakob streut nur in regelmäßigen Intervallen kurze Ausrufe des Erstaunens oder der Zustimmung ein. Das gefällt den Mädchen. Sie finden, dass man mit einem, der so wenig spricht, gut reden kann. Übrigens hat Jakob das Sprechen nicht völlig verlernt, ab und zu sagt er auch etwas. Er kann alles sagen, was er will, er braucht nur Zeit, um sich die Wörter einzeln bereitzulegen und sie in der richtigen Abfolge aneinanderzureihen.

Marie gefällt Jakobs raue und ungeübte Stimme. Sie bekommt Gänsehaut, wenn er spricht. Ihm gefällt der samtene Blick ihrer dunklen Augen unter dichten Wimpern, und das weiße Wogen ihres Dekolletees. Mein Gott, ihr Dekolletee.

Nach wenigen Minuten fällt Mathilde ein, dass sie ihrem Onkel versprochen hat, den Blumenschmuck für den Abendgottesdienst zu besorgen. Sie muss jetzt leider sofort nach

Hause, das tut ihr sehr leid, aber die anderen beiden sollen unbedingt schon mal Nüsse sammeln gehen im Pfarreiwäldchen, Mathilde wird nach erledigter Arbeit dann ganz sicher nachkommen; und falls nicht, müssen Marie und Jakob nicht auf sie warten, sondern einfach ohne sie weitermachen, man wird sich ja spätestens am Sonntag vor dem Kirchgang wiedersehen.

An jenem Abend setzt sich der Bauer zur Essenszeit wie gewohnt zuoberst an den Tisch, neben ihm die Gattin und die flachgesichtigen Kinder, weiter unten die Knechte und Mägde. Aber Maries Platz bleibt leer. Der Bauer schäumt vor Wut, denn eigentlich weiß er schon Bescheid, auch wenn er es noch nicht wahrhaben will. Er knallt seinen Löffel auf den Tisch und brüllt, dass man Marie suchen solle; bevor sie nicht beigebracht sei, rühre niemand die Hafergrütze an.

Auf dem Hof ist sie nirgends zu finden, also lässt der Bauer in alle Richtungen ausschwärmen. Er selbst stampft zum Pfarrhaus, um Mathilde zu befragen. Diese sagt wahrheitsgemäß, dass sie Marie zuletzt auf dem Weg ins Pfarreiwäldchen gesehen habe, bevor sie wegen des Blumenschmucks zur Kirche habe zurückkehren müssen, und versichert weniger wahrheitsgemäß, dass sie nicht die geringste Ahnung habe, wo Marie seither abgeblieben sein könnte.

Die Wahrheit nämlich ist, dass Marie und Jakob nach dem Abschied von Mathilde zwar noch weiter bis zum Pfarreiwäldchen gegangen sind, dort dann aber keine Zeit mit dem Einsammeln von Haselnüssen verschwendeten, sondern scharf nach Osten abbogen und im Schutz des Unterholzes Hand in Hand über die Hügel zum Eingang der

Schlucht liefen, die dem Jaunbach entlang hinauf zu den Bergspitzen führt.

Es ist lang nach Mitternacht, als sie in der Melkhütte ankommen. Jakob macht Feuer im Kamin und stellt einen Krug Quellwasser mit zwei Gläsern auf den Tisch, dann reicht er Marie Brot, Trockenfleisch und Käse und bereitet ihr das Nachtlager, denn sie ist müde vom langen Marsch. Er selber schläft draußen. Es ist eine sternenklare Nacht, in der Ferne kreischt der Gletscher. Aber kurz vor der Morgendämmerung, als es richtig kalt wird, geht er hinein und kriecht ganz nah zu Marie. Dann hebt sie ihre Decke an und breitet sie über ihm aus, und er nimmt seine Decke und breitet sie über Marie aus.

Am nächsten Morgen weckt er sie in aller Frühe mit heißem, honiggesüßtem Pfefferminztee. Marie muss sich rasch anziehen und aufstehen, Jakob hat unten im Tal Schritte gehört. Schritte von Männerstiefeln und von Pferden. Die Schritte sind schwerfällig, aber sie kommen näher. Marie und Jakob müssen aufbrechen. Sie klettern den Berg hinauf, höher und immer noch höher, dem Himmel entgegen. Knapp unter den Gipfeln, wo keine Bäume mehr wachsen und die Gemsen kaum mehr etwas zu fressen finden, steht ganz hinten in einer Felsspalte, von nirgendwoher und für niemanden sichtbar außer für die Vögel im Himmel, Jakobs selbst gebauter Unterschlupf; ein Dach aus Lärchenholzbalken und Schiefersteinen zwischen zwei Felswänden, vor dem Eingang ein Bärenfell, dahinter ein Bettlager und eine Feuerstelle. Von hier oben haben Marie und Jakob über die Felsenkante einen schönen Blick hinunter auf die Alp und die Melkhütte, wo noch immer Rauch aus dem Schornstein aufsteigt.

Noch liegt die Alp friedlich und verlassen da, aber dann tauchen die Männer aus dem Fichtenwald auf. Es sind die Knechte des Bauern Magnin, gefolgt vom Bauern selbst und von sechs berittenen Landsknechten. Sie durchsuchen die Melkhütte und schauen weit herum im hochalpinen Tal, dann zucken sie mit den Schultern und kratzen sich an den Hälsen, während der Bauer tobt und brüllt in hilflosem Zorn. Er schüttelt die Fäuste und stößt Drohungen aus, die zwischen den Bergflanken widerhallen. In weitem Umkreis fliegen schwarz die Bergdohlen auf, in den Gipfeln lösen sich Gesteinsbrocken und kullern über Geröllhalden talwärts.

Marie lacht über die drollige Gestalt ihres kleinen Vaters. Sie lacht noch mehr, als er einem der Landsknechte die Flinte entreißt und ziellos einen Schuss abgibt, den der Berg gleichgültig hinnimmt, und sie lacht weiter, als das Echo der Detonation verhallt und der Bauer mit seinen Männern wieder ins Tal absteigt. Aber Jakob lacht nicht. Er weiß, dass die Berge zwar groß, die Welt aber klein ist, und dass es für ihn auf Dauer kein Entrinnen geben wird vor dem väterlichen Zorn.

Niemand weiß, wie viele Tage Marie und Jakob dort oben gemeinsam verbracht haben; drei oder vier vielleicht, womöglich eine Woche. Wie die Gemsen waren sie in die Höhe geflohen, im Sprint hatten sie ihre Verfolger mit Leichtigkeit abgeschüttelt. Über die lange Distanz aber, das war ihnen klar, hatten sie keine Chance.

Also machen sie sich an einem Nachmittag an den Abstieg

durch die Schlucht, in der Abenddämmerung erreichen sie das Flachland und den Hof des Bauern Magnin. Jakob bleibt auf dem Vorplatz stehen, während Marie mit verschränkten Armen und trotzig gesenkter Stirn ins Haus geht, den Zorn des Vaters entgegenzunehmen.

Jakob lauscht. Er erwartet Geschrei, Gepolter, Türenschlagen, das Geklirr zerschellenden Geschirrs. Aber nichts geschieht. Im Haus bleibt es unheimlich ruhig. Nach einer Weile macht Jakob kehrt und läuft auf der dunkelnden Landstraße ins Städtchen, setzt sich am Marktplatz unter der großen Linde auf die Sitzbank und wartet auf die Knechte, die der Bauer losschicken wird.

Sie sind zu viert, als sie kommen, und haben Knüppel dabei. Jakob steht auf. Es sind dieselben Knechte, die jeden Frühling die Kühe zu ihm auf die Alp bringen und sie im Herbst wieder abholen. Grölend überqueren sie den Marktplatz, sie umzingeln Jakob und machen Faxen im Vollgefühl ihrer Überzahl. Jakob wartet ab. Er hat das Kämpfen gegen Bären und Wölfe gelernt, seine Reflexe sind die eines Wildtiers. In seinen Augen bewegen sich die Knechte wie in Zeitlupe, ihre plumpen Drohgebärden sind für ihn keine Gefahr. Er wartet geduldig, bis die Knechte mit ihrer Pantomime fertig sind, beinahe ist ihm ein wenig langweilig. Jakob würde gerne versuchen, den Kampf zu vermeiden, wenn es möglich wäre; erstens, weil jeder der vier Knechte auch einmal ein Kind war und eine Mutter, ein Lieblingsspielzeug und einen großen Traum hatte, und zweitens, weil ein Kampf immer Gefahr bedeutet, gegen welchen Gegner auch immer. Aber die Kerle wollen sich unbedingt prügeln, zu diesem Zweck hat der Bauer sie losgeschickt und das haben sie sich in den Kopf gesetzt. Also wird Jakob kämpfen, und zwar so kurz und hart als möglich. Er wird keine Faxen machen. Faxen sind unnütz und riskant.

Als es endlich so weit ist, dass der erste Knecht mit seinem Knüppel ernsthaft zum Schlag ausholt, stößt Jakob durch dessen entblößte Deckung und bricht ihm mit dem Ellenbogen das Nasenbein, und noch bevor dieser zu Boden gegangen ist, wendet er sich den drei anderen zu. In Bruchteilen von Sekunden platzen Lippen, splittern Zähne und werden Weichteile gequetscht, und dann liegen die vier Knechte stöhnend und blutend im Staub. Jakob hilft dem am nächsten Liegenden auf, hält ihm sein Taschentuch an die blutende Nase und sagt:

— Richte dem Bauern aus, dass er mich nicht mehr zu suchen braucht. Ich ziehe in den Krieg und werde lange wegbleiben.

Noch in derselben Nacht rennt Jakob auf der mondbeschienenen Heeresstraße dreißig Kilometer nordwärts nach der alten Zähringerstadt Freiburg, die seit Jahrhunderten glänzende Geschäfte damit macht, junge Burschen als Söldner in französischen Kriegsdienst zu schicken. Er wartet vor dem Stadttor bis zum Morgengrauen. Als das Fallgitter mit rasselnden Ketten hochgeht, betritt er die Stadt und fragt den erstbesten Uniformierten, bei wem er sich melden müsse, wenn er zum Militär wolle.

Was ist los?«, fragte Max.

Im Innern des Toyota herrschte fast völlige Dunkelheit, eine dicke Schneeschicht hatte sich auf die Scheiben gelegt; nur

50

am obersten Rand der Seitenfenster, wo ein schmaler Streifen schneefrei geblieben war, drang noch ein Rest fahlen Lichts herein.

»Ist dir kalt? Hast du Hunger?«

»Nein, wieso?«

»Fehlt dir sonst etwas?«

»Wie kommst du drauf?«

»Du ziehst eine Schnute.«

»Ich sage ja gar nichts. Wie spät ist es?«

»Eine halbe Stunde vor Mitternacht. Lüg nicht, du ziehst eine Schnute.«

»Das kannst du nicht sehen, es ist stockdunkel hier drin.«

»Ich fühle es. Du sendest negative Strahlen aus. Seit gerade eben.«

»Lass mich mit deiner Fühlerei in Frieden. Meine Schnute geht nur mich etwas an.«

»Weißt du, wie sich das anfühlt, wenn du diese Strahlen aussendest? Wie Radioaktivität. Lautlos, unsichtbar und geruchlos, aber unbedingt tödlich. Wenn ich jetzt nicht die Flucht ergreife oder rasch die Strahlenquelle ausschalte, bin ich in zwei Stunden tot. Also sag, was hast du?«

»Nichts.«

»Na los, spuck's aus. Irgendwann muss es ja doch raus.«

»Lass gut sein.«

»Ich weiß, was es ist. Du weißt, dass ich es weiß. Es ist wegen meiner Geschichte.«

»Ach ja?«

»Wegen der Prügelei gerade eben. Wegen der Darstellung von Gewalt.«

»Nein, die fand ich ganz cool. Die kühle Effizienz, die

Jakob an den Tag legt. Dass er stark und mutig ist. Und dass er weiß, was er will.«

»Dann ist es, weil er zum Militär muss.«

»Genau«, sagte Tina. »Kitschiger geht's ja nun wirklich nicht. Fehlt nur noch, dass Marie aus Verzweiflung ins Wasser geht. Oder ins Kloster. Oder in ein Unterwasserkloster. Sind die überhaupt katholisch dort unten?«

»Und wie. Warum?«

»Weil Protestanten keine Klöster haben.«

»Haben sie doch.«

»Nein.«

»Doch. Ist ja egal. Jedenfalls geht Marie nicht ins Kloster, da kann ich dich beruhigen. Übrigens wäre ich froh, wenn du meiner Geschichte etwas weniger vorauseilende Ablehnung entgegenbringen würdest.«

»Erstens wollte ich gar nicht meckern, du hast es aus mir herausgeprügelt. Und zweitens muss ich ja nicht immer alles toll finden, was in deiner Geschichte passiert.«

»Aber du bist auch nicht verpflichtet, laufend das Drehbuch umschreiben zu wollen. Versuch's einfach mal laufen zu lassen. Kino macht mehr Spaß, wenn man die Dinge geschehen lässt.«

»Eine eigene Meinung darf ich aber schon haben?«

»Klar. Nur dass es bei einer Geschichte nicht um Meinungen geht, sondern um die Geschichte.«

»Dann bleiben wir also dabei, dass das junge Glück unseres Liebespaars in Gefahr ist, weil Jakob zum Militär muss. Sag selbst, klingt das nicht unfassbar doof?«

»Es ist nun mal historische Tatsache. Was soll ich machen?«

»Erzähl weiter.«

»Gemäß den Musterungsrollen im Staatsarchiv des Kantons Freiburg hat sich Jakob Boschung aus Jaun am 8. Oktober 1779 zu acht Jahren Solddienst im Regiment Waldner verpflichtet. In der Folge war er die ganze Zeit in Cherbourg am Ärmelkanal stationiert. Nach vier Jahren wurde er zum Korporal befördert, am 1. November 1787 ehrenhaft entlassen.«

»Mich wundert immer wieder, dass du solche Sachen auswendig weißt. All die Daten, Namen, Orte. Manchmal denke ich, du bist ein bisschen autistisch.«

»Weil ich ein gutes Gedächtnis habe?«

»Normal ist das jedenfalls nicht.«

»Dann ist es normal, ein schlechtes Gedächtnis zu haben? So wie du?«

»Ich sage nur, dass normale Leute auch mal was vergessen.«

»Ich vergesse auch manchmal was, so ist es ja nicht.«

»Erzähl weiter. Jakob Boschung ist also in den Krieg gezogen.«

»Das nun nicht gerade. Vom Krieg hat er nicht viel mitbekommen, am Ärmelkanal herrschte Frieden zur fraglichen Zeit. Andere Schweizer Regimenter haben in jenen Jahren so ziemlich überall auf der Welt blutige Schlachten geschlagen, im Spanisch-Portugiesischen Krieg zum Beispiel oder im Bayrischen Erbfolgekrieg, im Russisch-Österreichischen Türkenkrieg und in den Kriegen auf Ceylon, in Burma und Siam. Überall waren Schweizer Söldner dabei, im Amerikanischen Unabhängigkeitskrieg, und zwar auf beiden Seiten, oder im Russisch-Schwedischen Krieg, in Südafrika, Ägypten, Indien ...«

»Ist gut, ich habe verstanden. Du bist wirklich nicht ganz normal, das muss ich dir leider sagen.«

»Jedenfalls herrschte überall Krieg außer in der Normandie. Dort gab's nichts als Apfelbäume und Kühe weit und breit, und ein paar Schiffe am Horizont. Jakobs Regiment hatte die Aufgabe, den Hafen von Cherbourg zu bewachen für den Fall, dass die Engländer wieder mal über den Ärmelkanal kamen. Aber die kamen nicht. Und Cherbourg war ein Kaff. Man möchte gern wissen, wie Jakob dort die Zeit totgeschlagen hat.«

»Nach Soldatenart«, sagte Tina. »Mit Saufen, Rumhuren und Kartenspielen.«

»Jakob war verliebt, da konnte er doch nicht rumhuren. Ich stelle mir eher vor, dass er auf der Hafenmole fischen ging.«

»Soldaten huren rum, das ist bekannt.«

»Wie hätte er das tun können, wenn er immerzu an Marie dachte?«

»Keine Ahnung, wie man das kann. Sag du's mir, du bist ein Mann.«

»Ich sage, der konnte das nicht. Man wird ja doch ein besserer Mensch, wenn man verliebt ist, zumindest vorübergehend. Und es huren ja doch nicht ganz alle Männer rum, noch nicht mal alle Soldaten. Also hat er traurige Lieder gesungen und ist fischen gegangen auf der Hafenmole, tausend mal tausend Schritte von seiner Liebsten entfernt für volle acht Jahre, ohne Aussicht auf Urlaub oder vorzeitige Entlassung.«

»Wenn sie einander wenigstens hätten schreiben können.«

»Die konnten aber weder lesen noch schreiben.«

»Aber aneinander denken konnten sie.«

»Oh ja. Sie müssen die ganze Zeit aneinander gedacht haben. Sonst hätten sie einander vergessen.«

»Und deine Geschichte wäre vorbei.«

»Man muss aneinander denken, sonst ist die Geschichte vorbei.«

»Ich würde dich auch vergessen, wenn ich nicht immer an dich denken müsste.«

»Siehst du.«

»Keine Ahnung, wieso ich immer an dich denken muss.«

»Ist dir wirklich nicht kalt? Komm näher zu mir. Da. So.«

»Max?«

»Ja?«

»Bist du sicher, dass Jakob nicht rumgehurt hat?«

»Wenn ich es doch sage. Der ging auf der Hafenmole fischen.

Jetzt musst du dir aber vorstellen, wie Marie allein im Greyerzerland zurückbleibt. Ein paar Wochen vergehen. Es ist Winter, schwarze Wolken ziehen übers Land. Auf dem väterlichen Hof ist wieder Ruhe eingekehrt, gnädiges Schweigen hat sich über Maries Eskapade gelegt. Nur die vier Knechte brummen noch böse. Ihre Platzwunden sind verheilt und die Knochen einigermaßen zusammengewachsen, aber die Lücken im Gebiss sind geblieben, und die erlittene Schmach brennt weiter.

Der Bauer tut, als sei nichts gewesen. Er ist schlau. Er sieht nicht ein, wieso er die Affäre zu einem Drama aufblasen soll, indem er zu Gericht sitzt, Urteile fällt und Strafen verhängt. Seine Tochter hat, soviel man sehen kann, keine bleibenden Schäden davongetragen; seine Frau hat Maries Unterwäsche im Auge behalten und konnte nach wenigen Tagen Entwarnung geben. Zudem ist der Hauptschuldige von der Bildfläche verschwunden und wird so rasch nicht wiederkehren. Für den Bauern ist die Sache erledigt.

Die Bäuerin aber ist klüger. Sie weiß, dass ein Phantom der schlimmere Feind sein kann als ein physisch anwesender Mensch. Besorgten Blicks verfolgt sie ihre Tochter und forscht nach Symptomen von Liebeskrankheit. Sie durchwühlt Maries Schrank, ihr Bett und ihre Kleider, findet aber nur eine versteinerte Muschel unter ihrem Kopfkissen. Merkwürdig. Die Bäuerin streichelt die Muschel mit ihren rauen Händen, dann legt sie sie zurück unters Kissen. Sie weiß, dass ein verlorener Fetisch mächtiger wäre als ein vorhandener.

Noch klüger als die Bäuerin aber ist Marie. Sie weiß, dass sie nur in Frieden unter dem väterlichen Dach wird leben können, wenn sie sich nichts anmerken lässt von ihrem Glück, ihrem Leiden und ihrer Sehnsucht. Deshalb seufzt sie nicht und weint nicht, hungert nicht und magert nicht ab, sondern bleibt rund und rosig und singt und lacht wie eh und je. Sie steht morgens zeitig auf, frühstückt mit Appetit und arbeitet tagsüber fleißig wie gewohnt, und abends blickt sie niemals sehnsuchtsvoll in den Nachthimmel, sondern geht beizeiten schlafen.

Und dafür muss Marie nicht mal Komödie spielen, sie ist tatsächlich fröhlich; denn sie weiß, dass es ihren Jakob irgendwo gibt auf der Welt. Wieso sollte sie da nicht fröhlich sein? Sie weiß auch, dass er zu ihr zurückkehren wird, er hat es ihr beim Abschied gesagt. Sie hat ihn nicht danach gefragt. Er hat es ihr ungefragt versprochen.

In der ersten Zeit erwägt Marie noch, durchzubrennen und auf eigene Faust zu Jakob zu reisen. Sie bringt in Erfahrung, wo auf Gottes weitem Erdenrund dieses Cherbourg liegt, dann heckt sie verschiedene Schliche und Ränke aus. Ein bisschen Reisegeld ließe sich schon beschaffen, und mit List und Tücke könnte sie auch einen Vorsprung von zwölf oder vierundzwanzig Stunden herausholen, bevor der Vater seine berittenen Bluthunde von der Leine ließe. Das große Problem aber wäre, dass Maries Fluchtrichtung den Häschern von Anfang an bekannt wäre; so wäre die Hatz von Beginn weg keine Jagd, sondern lediglich ein Verfolgungsrennen, dessen Verliererin schon vor dem Start feststünde. Die Hunde würden Marie in jedem Fall einholen, vielleicht schon im Nachbarsdorf, spätestens aber im Anstieg zu den Jurahöhen. Und selbst wenn es ihr gelänge, sie mit Haken und Finten abzuschütteln und irgendwie nach Frankreich zu gelangen, würde die Nachricht von einem allein auf der Landstraße dahinziehenden Mädchen ihr stets vorauseilen. Wenn die Bluthunde am Ende des ersten Jagdtages ohne Beute heimkehrten, würde Maries Vater den Polizeiminister in Freiburg alarmieren, und dieser würde nötigenfalls eine Depesche an den Polizeiminister in Paris schicken, und dann hätten die Hunde nichts mehr weiter zu tun, als sich am Rand der Landstraße ein schattiges Plätzchen zu suchen und zu warten, bis ihr Kaninchen herangehoppelt käme. Sie würden Marie kriegen, das stand fest. Spätestens am Ziel. Allerspätestens in Cherbourg.

Also bleibt Marie zu Hause und beschließt auf den Tag zu warten, an dem Jakob wiederkommen wird. Traurig ist sie nicht, aber die Zeit wird ihr lang in ihrem Gefängnis. Denn gefangen ist sie wohl, für ein Mädchen ihres Standes gibt es nur vier Fluchtwege aus der väterlichen Obhut: den Gang vor den Traualtar, den Gang ins Kloster, den Gang ins Wasser oder eine Anstellung als Dienstmädchen bei einem Aristokraten in der Stadt. Das kommt für sie alles nicht in Frage. Also bleibt sie.

Und einsam ist sie. Ihre flachgesichtigen Geschwister sind ihr fremder denn je. Die Mutter stellt ihr mit Verdächtigungen nach. Der Vater behandelt sie wie ein bissiges Fohlen. Die Knechte, die früher gern mit ihr scherzten, schauen durch sie hindurch. Die Mägde tuscheln hinter ihrem Rücken, sie halten sie für entehrt. Ihre beste Freundin Mathilde kann sich nicht mehr mit ihr treffen, sie hat vom Onkel wegen ihrer Teilnahme am Komplott ein Jahr scharfen Hausarrest erhalten.

Irgendwann merkt der Bauer aber doch, dass seiner Tochter etwas fehlt, denn dumm ist er nicht, und ganz unempfindsam im Grunde seiner Seele auch nicht. Er beobachtet Marie und macht sich Gedanken über sie. Er denkt die Gedanken, die er zu denken imstande ist. Er denkt, das Mädchen werde schwermütig, weil ihm etwas fehle; und was das sein könnte, scheint ihm aus seiner Lebenserfahrung klar. Also beschließt er zu handeln. In diesen Dingen kennt er sich aus.

Anfangs wundert Marie sich noch, dass plötzlich junge Burschen auf dem Hof auftauchen. Alle paar Wochen erscheint einer und sieht sich alles genau an. Manche schauen sich erst die Äcker, die Weiden und das Vieh an, andere inspizieren zuerst die Ställe, das Wohnhaus und Marie. Viele kommen in Begleitung ihrer Väter. Manche bleiben ganze Tage. Einige sitzen sogar noch beim Abendessen zu Tisch.

Diese Besuche häufen sich jeweils im Herbst, das ist von alters her so Brauch. Erstens ist im Herbst der Hof besonders präsentabel, weil die Speicher voll und die Tiere wohlgenährt sind, und zweitens haben die jungen Leute dann den ganzen Winter Zeit, einander kennenzulernen, bevor sie im Mai vor den Traualtar treten werden.

Marie braucht sich die Burschen gar nicht anzuschauen, nur schon der Gedanke daran ist zum Lachen. Es tut nichts zur Sache, dass sie allesamt schwerknochige, dumpfe Arbeitsochsen sind; auch wenn ein griechischer Halbgott in einem Feuerwagen vom Himmel niederführe, würde Marie ihn nicht beachten. Sie will ihren Jakob und sonst keinen.

Aber das sagt sie dem Vater nicht. Um ihn nicht zu verärgern, spielt sie die liebreizende Jungfer, hält den Rücken gerade und führt die Besucher lächelnd durch Haus und Garten. Aber irgendwann findet sich immer ein Augenblick, in dem sie unbeobachtet mit dem Burschen allein ist. Dann fletscht sie die Zähne, rollt mit den Augen und erklärt dem Entgeisterten in äußerst anschaulichen Worten, was sie alles mit ihm anstellen würde, falls er es je wagen sollte, ihr allein bei Nacht über den Weg zu laufen.

So vergehen zwei Jahre, drei Jahre, vier Jahre. Maries jüngere Schwester heiratet, ein kleiner Bruder geht zu einem Viehhändler in die Lehre. Maries zwanzigster Geburtstag ist lang vorbei, schon ist sie Mitte Zwanzig; die Verkupplungsversuche des Vaters werden immer dringlicher. Aber Marie will nichts wissen. Ihre freien Abendstunden verbringt sie fast immer mit ihrer Freundin, seit diese den Stubenarrest abgesessen hat. Auch Mathilde ist noch ledig, und nichts deutet darauf hin, dass sich das jemals ändern wird. Sie kleidet sich nicht mehr bunt nach Art junger Leute, sondern trägt nur noch hellgraue, taubengraue und anthrazitgraue Röcke. Ihr mattes Haar trägt sie jetzt kurz. Und wenn sie außer Atem oder in Aufregung gerät, bekommt sie rote Flecken am Hals.

In dieser Zeit geschieht es, dass eine unerhörte Nachricht die Menschheit in Aufregung versetzt. In Windeseile verbreitet sie sich in ganz Europa, in den Herzen der großen Städte wird sie geflüstert, gesungen und gebrüllt, dann reist sie von Mund zu Mund über die Ebenen bis in die hintersten Bergtäler und an die Küsten, von dort weiter mit geblähten Segeln über die Meere zu den Gestaden entlegener Kontinente bis an die Ränder der bekannten Welt, und überall sperren die Menschen die Münder auf in ungläubiger Verwunderung darüber, dass erstmals seit Anbeginn der Zeit zwei Sterbliche eine Luftkutsche gebaut haben, um Mutter Erde zu verlassen und sich ohne festen Halt durch die Luft in den Himmel zu erheben.

Diese Nachricht vereint die Menschheit über alle Grenzen der Herkunft und des Standes, des Alters und des Geschlechts hinweg in brüderlich einträchtiger Fassungslosigkeit; alle Eifersucht, jeder Streit, aller Neid und Zwist muss ruhen, die Menschen liegen einander in den Armen in einmütiger Vorfreude darauf, bald vogelgleich durch die Luft zu reisen wie einst Ikarus, Prometheus und die himmlischen Heerscharen. Diese friedliche Einigkeit ist eine seltene und köstliche Erfahrung für das Menschengeschlecht, und sie endet auch schon bald wieder, als Einzelne sich zu fragen beginnen, ob die Luftkutschen ihnen persönlich eher Nutzen oder Schaden eintragen werden.

So geraten nach einer kurzen Zeit kollektiver Verblüffung die einen in metaphysische Verzückung und andere in religiöse Empörung, wieder andere retten sich in bockigen Unglauben oder hoffen böse auf Unfälle und Katastrophen. Die Pfaffen wettern von den Kanzeln herunter gegen die gotteslästerliche Hybris, dass der Mensch sich über den Staub erheben wolle, aus dem er gemacht sei und zu dem er zurückzukehren habe; die Philosophen hingegen bejubeln die Macht des menschlichen Geistes, der die Gesetze der Schwerkraft, die er kaum hundert Jahre zuvor erdacht hat, für sich selbst schon wieder außer Kraft zu setzen vermag. Die Gutsherren und Fabrikanten fürchten Umsturz, Chaos und schwindende Renditen, wenn Knechte und Arbeiter jederzeit durch die Luft dorthin verschwinden können, wo sie für ihre Arbeitskraft am meisten Geld erhalten, und die Unterdrückten aller Länder schöpfen Trost aus der Hoffnung, eines Tages mit einer Luftkutsche davonzufliegen und ihrem Tyrannen aus großer Höhe freihändig auf den Hut zu scheißen.

Theaterstücke und Lieder werden übers Ballonfahren geschrieben, Gedenkmünzen geprägt und ganze Zeitungen vollgeschrieben. Zu Tausenden gehen illustrierte Flugblätter von Hand zu Hand, in den Städten haben die Kupferstecher und Buchdrucker alle Hände voll zu tun, diese Blätter wieder und wieder zu kopieren und gegen gutes Geld an fliegende Händler zu verkaufen.

Einer dieser Zeitschriftenhändler besucht auch das Greyerzerland. Es ist Martini, der wichtigste Markttag des Jahres im Städtchen.

Marie steht hinter ihrem Gemüsestand. Sie ist dick eingepackt in zahlreiche Schichten Kleider und Tücher, denn der Winter ist ungewöhnlich früh hereingebrochen in jenem Jahr 1783. Schon der Herbst war eher ein Winter gewesen und der Sommer eher ein Herbst, weil kurz nach der Sommersonnenwende ein schwefelgelber Nebel aufgezogen war, der sich nicht mehr hatte verziehen wollen; ein übler, nach faulen Eiern stinkender Nebel, wie man ihn noch nie gesehen hatte. An manchen Tagen lag er am Boden, dann wieder hing er drohend unter den Wolken. Er stach Menschen und Tieren giftig in die Nase, brannte ihnen in den Augen und breitete sich Tag und Nacht mit dem Tempo eines galoppierenden Pferdes nach Osten aus. Und wo er sich einmal festgesetzt hatte, wollte er sich wochen- und monatelang nicht mehr verziehen.

Über weiten Teilen der Nordhalbkugel schien die Sonne nicht mehr, von der Bretagne über Preußen bis nach Sibirien verfaulte das Getreide unreif auf den Feldern. Die Kinder husteten, viele starben. Die Vögel fielen tot vom Himmel, schon im August verloren die Bäume ihre Blätter. Im September fiel der erste Schnee, im Oktober waren die Viehtränken vereist und die Bäche gefroren. Und wenn die Sonne doch einmal durchdrang, stand sie kraftlos und kühl als mattrote Scheibe am grauviolett verfärbten Himmel.

Es gab kein Entrinnen aus diesem Nebel, er hatte sich um die ganze Welt ausgebreitet. Seinen Quell hatte er auf Island, wo an Pfingsten 1783 ein gewaltiges Erdbeben den Vulkan

Laki in zwei Hälften gerissen hatte. Dadurch hatte sich ein mächtiges Loch in der Erdkruste aufgetan, durch das in kurzer Zeit hundertzwanzig Millionen Tonnen Schwefeldioxid in die Erdatmosphäre geschleudert wurden, welches sich mit den Regentropfen in den Wolken zu Schwefelsäure verband; hinzu kamen acht Millionen Tonnen Fluor und sieben Millionen Tonnen Chlorwasserstoff, die als Salzsäure auf die Erde niederregneten, sowie erhebliche Mengen Schwefelwasserstoff und Ammoniak. Nie hatte sich auf Erden, seit die Menschheit in Ostafrika aus einer Affenart hervorgegangen war, ein schlimmerer Fall von Luftverschmutzung ereignet.

Die giftigen Gase breiteten sich unter den vorherrschenden Westwinden rasch über Europa aus. Schon wenige Tage nach dem Vulkanausbruch klagten in Irland und England die Bauern auf den Feldern über Kopfschmerzen, Augenbrennen und Atemnot, dann kroch der Übelgeruch nach Frankreich und Portugal, über Deutschland, Russland und Ägypten bis nach Indien und China, Japan, Amerika und Grönland, um nach erfolgter Erdumrundung in verdünnter Form nach Island zurückzukehren. Und weil kaum mehr die Sonne schien, legte sich große Kälte über die nördliche Hemisphäre.

Im Greyerzerland sind die Bäche und Kanäle schon im November gefroren, die Bürger laufen Schlittschuh von einem Dorf zum nächsten. In den Gassen des Städtchens liegt hüfthoch schmutziger Schnee, unter den Brücken erfrieren die Vagabunden im Schlaf. Alle Steine sind am Boden festgefroren, das Holz splittert in der Kälte. Kerzengerade steigt der

Rauch aus den Schornsteinen in den gelben Himmel. Weil kein Wind mehr weht, stehen die Windmühlen still, den Bäckern geht das Mehl aus, die Menschen haben kein Brot mehr. Viele Familien haben das Brennholz für den Winter schon Anfang November aufgebraucht. Trotzdem ist Markttag an Martini, das Leben muss weitergehen.

Marie beobachtet, wie der Zeitschriftenhändler ein hölzernes Podest besteigt. Weiße Dampfwolken strömen aus seinem Mund, als er lauthals zu berichten beginnt von einer riesenhaften Luftkutsche aus leinwandverstärktem Papier, die in Frankreich durch die Kraft des aufsteigenden Rauchs in den Himmel gehoben wurde. Immer mehr Leute umstehen den Zeitschriftenhändler, gebannt hören sie ihm zu. Als er wieder von seinem Podest herunterklettert, reißen sie ihm das Flugblatt aus den Händen.

Auch Marie ist mesmerisiert. Sie greift in die Kasse, lässt den Gemüsestand im Stich und holt sich ein Exemplar. Das Flugblatt besteht aus einem Bogen Papier, der in der Mitte gefaltet ist. Auf der ersten Seite ein großer Kupferstich, der einen reich bemalten Ballon mit angehängter Gondel darstellt, darunter ein Feuer, das mächtig viel Rauch macht; unter dem Kupferstich reichlich viel Geschriebenes. Auf Seite zwei die Porträts zweier Männer, vermutlich die Konstrukteure, und noch mehr Geschriebenes. Auf Seite drei eine Nahaufnahme der Gondel, daneben eine Ente, ein Hahn und ein Hammel. Auf Seite vier ein Schloss, darunter ein dicker junger Mann mit lockigem Haar und wulstigen Lippen, Hakennase und fliehendem Kinn, vermutlich der König; und noch mehr Geschriebenes. Überall ziemlich viel Geschriebenes. Marie will wissen, was da geschrieben steht. Mathilde muss ihr das vorlesen. Sie ist die Nichte des Pfarrers, sie kann lesen.

Marie überlässt den Marktstand einer Magd, läuft mit dem Flugblatt durch den Schnee zum Pfarrhaus und ruft nach Mathilde, bis sie aus dem Haus kommt und ihr alles vorliest.

Der dicke Mann ist Ludwig XVI., die zwei Männer sind die Gebrüder Montgolfier. Das Schloss ist Schloss Versailles. Die Ente, der Hahn und der Hammel sind die ersten Lebewesen, die mit der Luftkutsche gereist sind. Aufgestiegen sind sie auf dem Vorhof des Schlosses. Die ganze königliche Familie hat zugeschaut, ebenso mehrere tausend Adlige und ungezähltes Fußvolk, das in hellen Scharen aus Paris herbeigeströmt ist. Nach dem Start ist der König ins Schlafzimmer geeilt, um den Flug mit seinem Fernrohr zu verfolgen. Die Reise hat acht Minuten gedauert und über tausendachthundert Faden in nordöstliche Richtung geführt, bis das Gefährt wegen eines Windstoßes zur Seite kippte und sanft im Wald von Vaucresson zu Boden sank.

Die jüngste Schwester des Königs ist der Luftkutsche zu Pferd über Wiesen und Felder hinterhergeritten. Sie heißt Elisabeth und ist neunzehn Jahre alt. Als sie am Ort der Landung eintrifft, grast der Hammel schon friedlich, auch die Ente ist wohlauf. Nur der Hahn hat einen geknickten Flügel, angeblich hat sich der Hammel bei der Landung versehentlich auf ihn gesetzt. Die Prinzessin verarztet den Flügel und nimmt die drei Tiere mit. Sie hat einen eigenen Bauernhof, dort dürfen der Hahn, die Ente und der Hammel als Lohn für ihre Pioniertat vom Metzger unbehelligt leben bis ans Ende ihrer Tage.

Nun sollen auch Menschen die Reise mit der Luftkutsche wagen. Die Gebrüder Montgolfier haben vorgeschlagen, versuchsweise drei zum Tod verurteilte Sträflinge in den Korb zu setzen, aber dagegen hat der König sein Veto eingelegt; das Privileg einer ersten Reise durch die Lüfte soll nicht dem Abschaum der Gesellschaft, sondern dem Adel vorbehalten sein.

Das Feuer unter dem Ballon wird zur Hauptsache mit feuchtem Stroh und gehackter Schafwolle entfacht, damit ordentlich viel Rauch entsteht; denn es sind die feinen Staubteilchen im Rauch, die den Ballon in die Höhe tragen.

An dieser Stelle unterbricht Marie den Vortrag ihrer Freundin.

— Das ist natürlich Quatsch.

— Was?, haucht Mathilde.

— Das mit dem Rauch. Das bringt überhaupt nichts, wenn man feuchtes Stroh und Schafwolle verbrennt.

— Meinst du? Mathilde legt die Stirn in Falten und bleckt ihre schiefen Zähne. Hier steht's aber.

— Wo?

— Hier. Mathilde deutet auf Seite drei. Die verbrennen feuchtes Stroh und gehackte Schafwolle, damit möglichst viel Rauch entsteht. Und alte Schuhe verbrennen sie auch. Und halbverweste Tierkadaver.

— Das ist Quatsch, sagt Marie nochmal. Das stinkt nur und qualmt, aber davon steigt der Ballon nicht auf, im Gegenteil. Was es zum Fliegen braucht, ist heiße, durchsichtige Luft. Hast du schon mal Feuer gemacht in der Küche?

— Natürlich. Oft.

— Dann weißt du ja Bescheid. Wenn du feuchtes Zeug im Ofen verbrennst, entsteht viel Qualm, aber wenig Hitze. Der Rauch will im Schornstein nicht aufsteigen, die ganze Küche füllt sich mit Rauch. Wenn hingegen das Holz schön trocken ist und das Feuer ordentlich heiß brennt, wird der Rauch durchsichtig und schießt pfeilschnell hinauf.

— Jetzt, wo du es sagst.

— Klar, sagt Marie. Würdest du in eurem Ofen vergammeltes Fleisch und alte Schuhe verbrennen?

— Niemals. Mathilde kichert tonlos.

— Die Sache ist klar, sagt Marie. In den Ballon gehört Hitze, kein Rauch. Diese noblen Herren haben keine Ahnung vom Feuermachen, weil sie noch nie im Leben eigenhändig einen Ofen eingeheizt haben.

— Man müsste das ausprobieren, haucht Mathilde aufgeregt. Sie bekommt rote Flecken am Hals.

— Das machen wir, sagt Marie.

An jenem Abend beschließen Marie und Mathilde, selber eine Luftkutsche zu bauen; nicht eine ganz große, für den Menschentransport geeignete, dafür würde es ihnen bei weitem an den notwendigen Baustoffen fehlen. Ein kleines Modell soll genügen, um Maries Theorie über den Rauch und die heiße Luft zu überprüfen.

Am folgenden Sonntag spazieren sie nach dem Kirchgang über verschneite Wiesen hinaus zum Pfarreiwäldchen. Die Morgendämmerung ist direkt in die Abenddämmerung übergegangen, der Nebel verschluckt seit Monaten das Tageslicht. Mannshoch liegt der Schnee überall, er ist vom gleichen Gelb wie der Nebel und riecht nach faulen Eiern.

Marie und Mathilde schlittern mit ihren Holzschuhen über den hartgefrorenen Trampelpfad bis zum Waldrand. Dort bauen sie aus Rohrstöcken eine kleine Pyramide und bespannen die Seitenflächen mit dem Stoff eines ausgedienten Nachthemds. Dann entfachen sie ein Feuer aus dürren Fichtenästen, halten ihre Luftkutsche darüber und lassen los. Sie fällt wie ein Stein ins Feuer und verbrennt.

Eine Woche später unternehmen sie einen zweiten Versuch mit einem an der Grundfläche offenen Quader, diesmal unter Verwendung von Birkenreisig und einem alten Unterrock. Der Quader schaukelt kurz über den Flammen, dann kippt er zur Seite, stürzt ins Feuer und verbrennt.

Die dritte Luftkutsche ist zylinderförmig. Sie verharrt vier, fünf Herzschläge lang in der Schwebe, bevor sie sachte aufs Feuer niedersinkt und verbrennt.

Beim vierten Versuch bauen Marie und Mathilde einen Würfel aus Strohhalmen und zusammengeklebten Seiten einer Bibel, die Mathilde dem Onkel gestohlen hat; in der Mitte der offenen Grundfläche befestigen sie mit dünnem Kupferdraht ein schnapsgetränktes Baumwollknäuel. Es ist schon Abend, als sie das Wollknäuel in Brand stecken. Diesmal stürzt die Luftkutsche nicht ab, sondern bleibt in der Luft stehen, schwarz und golden leuchten im Licht des brennenden Baumwollknäuels die zusammengeklebten Textstellen der Heiligen Schrift. Und dann steigt der Würfel, unmerklich erst, dann immer rascher, bis zu den Wipfeln der verschneiten Fichten hinauf und darüber hinweg, in die Nacht hinaus und in den gelben Nebel hinein. Stumm blicken Marie und Mathilde ihrem leuchtenden Werk hinterher, bis aller Schnaps verbrannt ist, die Flamme erlischt und das

Gefährt mit dem Dunkel der Nacht verschmilzt. Die zwei Freundinnen fassen einander bei den Händen, Tränen stehen ihnen in den Augen.

Marie und Mathilde können nicht wissen, dass hinter dem Pfarreiwäldchen ein weiteres gelb verschneites Wäldchen liegt, und dahinter noch eines und noch eines und noch eines. Viele hundert Wäldchen gibt es in allen Himmelsrichtungen, ganz Europa ist übersät mit gelb verschneiten Wäldchen, die bedeckt sind von senfgelbem Nebel, von Stockholm bis nach Neapel, von Lissabon bis nach Moskau; überall gibt es junge Leute wie Marie und Mathilde, die nichts voneinander ahnend kleine Luftkutschen bauen in unbestimmter Sehnsucht und der bangen Vorahnung, dass diesem blutgetränkten Kontinent und ihnen selbst schwere Zeiten und tiefgreifende Umwälzungen bevorstehen. Abend für Abend steigen, während Europa sich in die Nacht hineindreht, Hunderte dieser kleinen Lichter in die Höhe, und an manchen dieser selbstgebastelten Luftkutschen hängt ein verängstigtes Kaninchen, ein Meerschweinchen oder ein Kätzchen, das als Vorbote der Menschheit in den Himmel aufsteigen und nach kurzem Flug abstürzen muss, und bei jedem einzelnen dieser Aufstiege bestätigt sich immer wieder aufs Neue die Theorie der Marie-Françoise Magnin aus Greyerz, wonach es die heiße Luft ist, die den Apparat in die Höhe hebt, und nicht der Rauch. Sogar die Gebrüder Montgolfier verzichten bei weiteren Flügen auf das Karbonisieren von Pferdekadavern.

Technisch erweist sich die Sache als recht simpel. Jedes Kind ist in der Lage, einen Heißlüfter zu bauen, die leuchtenden Quader, Pyramiden und Zylinder drohen rasch ihren Zauber zu verlieren. Deshalb steigen schon bald neue Wunderwerke auf. Bunt leuchtende Paradiesvögel, Türkenköpfe, Fische, Schwarze Damen und ganze Luftschlösser ziehen am Nachthimmel vorüber und erschrecken ahnungsloses Landvolk.

Bist du noch wach?«

»Oh ja.«

»Ist was?«

»Wieso?«

»Ich kann dich denken hören.«

»Hier drin ist es dunkel wie in einer Kuh. Wir sind lebendig begraben.«

Tina drehte den Zündschlüssel und schaltete die Scheibenwischer ein, worauf diese knirschend den Schnee beiseiteschoben und eine Ahnung von Dämmerlicht durch die Windschutzscheibe drang.

»So ist's besser. Wie spät ist es jetzt?«

»Halb eins. Alles klar bei dir?«

»Wieso?«

»Du sendest wieder radioaktive Strahlung aus. Was ist es diesmal?«

»Schon gut.«

»Sag.«

»Mir geht auf die Nerven, wie du diese arme Mathilde behandelst. Der flache Hintern, das matte Haar und die schiefen Zähne, und dieses Gehauche die ganze Zeit. Ich frage dich, muss das sein? Und jetzt auch noch die roten Flecken.«

»Solche Menschen gibt es halt.«

»Das ist nicht der Punkt. Der Punkt ist, dass du sie so siehst.«

»Was ist daran falsch, die Leute so zu sehen, wie sie sind?«

»Du willst Mathilde so sehen, weil sie dir so in den Kram passt. Als Witzfigur für deinen Männerhumor.«

»Jetzt komm aber.«

»Doch.«

»Na gut. Dann würde ich meinerseits dir gern erklären, was dein Problem mit Mathilde ist.«

»Ich bitte darum.«

»Du willst sie in ihrer grauen Hinfälligkeit nicht akzeptieren, weil für dich als weibliches Rollenmodell nur omnipotente Superfrauen zulässig sind.«

»Okay, der war gut. Diesmal machst du wirklich Spaß, oder?«

»Ja.«

»Gut. Darf ich noch etwas anmerken?«

»Gern.«

»Die Sache mit dem geknickten Hähnchenflügel vorhin. Das war mir zu albern.«

Max zuckte mit den Schultern. »Für den kann ich nichts, der wird in jeder illustrierten Geschichte der Aviatik erwähnt. Manche Quellen behaupten, der Flügel sei schon vor dem Start geknickt worden und nicht erst bei der Landung. Das wird nicht mehr zu klären sein, fürchte ich.«

»Du bist wirklich nicht ganz normal. Ich bedaure, dir das mitteilen zu müssen.«

»Hingegen wird der Auftritt der Prinzessin von den meisten Luftfahrthistorikern nur sehr beiläufig oder überhaupt nicht erwähnt. Soll ich dir von der Prinzessin erzählen?«

»Welche Prinzessin?«

»Die dem Ballon hinterhergeritten ist. Elisabeth, die kleine Schwester des Königs.«

»Ach, lass gut sein.«

»Sie ist aber wichtig für die Geschichte.«

»Welche Geschichte?«

»Die von Marie und Jakob.«

»Was hat die Prinzessin damit zu schaffen?«

»Das will ich dir ja erzählen.«

»Hat sie ein Diadem im seidenen Haar? Wird sie von einem Königssohn wachgeküsst und so weiter?«

»Sie ist ein schwer erziehbarer Wildfang mit Autoritätsneurose und Aufmerksamkeitsdefizit.«

»Wie alt ist sie nochmal?«

»Neunzehn.«

»Ach je.«

»Ist halt so. Aber hör zu, sie ist die Rote Zora von Schloss Versailles.«

»Historisch verbürgt?«

»Man kann ihre Briefe nachlesen. Manchmal unterzeichnet sie mit *Elisabeth, la folle*. Sie ist die Pippi Langstrumpf der Bourbonen. Eine tollkühne Reiterin, spielt ausgezeichnet Billard.«

»Erzähl weiter.«

»Das Mädchen langweilt sich tödlich auf Schloss Versailles. Immer nur Perücken pudern und Korsagen zurren, ständig beten und Aquarelle malen, Tag für Tag Cembalo spielen, Harfe zupfen und Taschentücher besticken, immerzu Deutsch, Italienisch und Russisch büffeln für den Fall, dass man an ein ausländisches Königshaus verheiratet wird, immer dieses Rascheln von Tüll und Taft und Musselin, und kein unbeherrschtes Lachen, kein lautes Wort ist ihr gestattet, kein freies Rennen oder Tanzen in den Fluren, immer nur dieses gemessene, gleitende Wandeln, und überall diese parfümierten und gepuderten Hofschranzen, diese Gecken und Speichellecker mit ihren Hintergedanken, wohin man auch sieht, wo man auch geht oder steht, rund um die Uhr wimmelt es im Schloss von müßiggängerischen, nichtsnutzigen Claqueuren, überall unterwürfige Lakaien, selbstgefällige Galane, läufige Hunde und kaltgeile Kokotten, an jeder Ecke lauern geschminkte, parfümierte Blutsauger und Lustknaben, nirgends ist man sicher vor dem hündischen Gehechel der Schmarotzer, dem Gewinsel der Intriganten, dem schwanzwedelnden Kratzbuckeln der Parasiten und Manipulateure und ihrem falschen Gesäusel, ihrer devoten Knickserei – es gibt kein Entrinnen aus dem Schloss, das du dir übrigens wie ein gewaltiges, heruntergekommenes Kreuzfahrtschiff vorstellen musst. Das Schiff ist schon ziemlich in die Jahre gekommen, es leckt und ächzt an allen Enden und die Passagiere langweilen sich furchtbar, und doch geht niemand an Land, und niemand steigt zu. Hin und wieder wird ein Kind geboren oder jemand stirbt an Karies, Syphilis oder Altersschwäche, aber das Schiff geht nirgends vor Anker und macht niemals fest, sondern dümpelt endlos vor sich hin ohne Ziel und ohne Antrieb.

Elisabeth hält das nicht aus, sie will hinunter von diesem Schiff. Sie ist ein Teenager, am liebsten möchte sie durchbrennen. Nach dem Jungfernflug der Montgolfière bat sie um Erlaubnis, beim nächsten Flug mit an Bord steigen zu dürfen, aber das kam natürlich nicht in Frage. Sie ist die

Schwester des Königs und hat bei ihrem Bruder zu bleiben, solange sie ledig ist; und weil der König niemals fortgeht aus Versailles, bleibt auch Elisabeth gefangen in dem morschen, alten Kasten.

Ludwig XVI. herrscht über das mächtigste und schönste Königreich der Welt, aber er kennt es nicht. Er ist auf Schloss Versailles geboren und wird ganz in der Nähe unter der Guillotine sterben, und er ist im Leben nie sehr weit weggegangen von Versailles. Er war nie in den Alpen, kennt weder die Schlösser an der Loire noch das Burgund, weder die Provence noch das Languedoc, ganz zu schweigen von den französischen Besitzungen in Amerika und Afrika, und er hat nie die Königreiche seiner Blutsverwandten in Spanien, Österreich, Polen, Sizilien oder Sachsen besucht. Immerzu hockt er, dem die ganze Welt zu Füßen läge, mit seiner Familie im hundertjährigen Schloss seines Urururgroßvaters und schießt im Park Wildtiere, die man ihm vor die Flinte getrieben hat; höchstens, dass er mal nach Paris in die Oper fährt oder für ein paar Tage in eines der Nebenschlösser in der Umgebung. Der König von Frankreich hat niemals den offenen Ozean gesehen, weder das Mittelmeer noch den Atlantischen Ozean. Nur ein Mal in seinem Leben fuhr er für ein paar Tage an den Ärmelkanal, um die neuen Befestigungsanlagen im Hafen von Cherbourg zu besichtigen. Und da durfte Elisabeth ihn nicht begleiten.

Die Prinzessin langweilt sich also tödlich, wie gesagt, und einsam ist sie auch; unter den fünftausend Menschen, die im Schloss leben, hat sie keinen einzigen Freund und keinen

Spielkameraden, denn andere Kinder als jene der Königs-
familie sind auf Versailles nicht zugelassen. Elisabeths Eltern
und Großeltern sind schon lange gestorben, und ihr Bruder,
der König, ist ein gutmütiger, aber fader Einfaltspinsel, der
immer nur essen und trinken oder schlafen will. Ihre vier
Jahre ältere Schwester, die dicke Clotilde, hat nach Italien
geheiratet, und die im Schloss verbliebenen Tanten und
Cousinen sind bei lebendigem Leib mumifizierte Langwei-
lerinnen, für die es schon das aufregendste aller Abenteuer
ist, draußen im Park an einem Wasserbecken zu sitzen und
Forellen zu angeln, welche die Lakaien vorgängig für sie
ausgesetzt haben.

Das alles hält Elisabeth nicht aus, sie muss hinaus an die frische Luft. Alle paar Tage reißt sie sich die Perücke vom Kopf,
wischt sich die Schminke aus dem Gesicht und entwischt
ihren Gouvernanten. Sie kennt im Schloss jeden Winkel und
jeden Stein, für sie öffnen sich überall Geheimtüren in Tape-
ten und Wandschränken, hinter denen versteckte Wendel-
treppen zu dunklen Dienstbotenfluren führen, die schließlich ins Freie münden. Sie rennt hinaus zu den Stallungen
und holt sich eines der zweitausend Pferde, die dort stehen,
um mit den patrouillierenden Dragonern im Schlosspark um
die Wette zu reiten. Natürlich dürfen die Dragoner in den
königlichen Gärten keine Pferderennen veranstalten, weder
im Dienst noch außerdienstlich und schon gar nicht mit An-
gehörigen der königlichen Familie; das ist derart undenkbar,
dass es noch nicht mal verboten ist. Aber Elisabeth reitet so
lange neben der Patrouille her, lässt ihr Pferd tänzeln und
hochsteigen und Pirouetten drehen, knallt mit der Peitsche

und macht Faxen, bis das erste Soldatenpferd die Nerven verliert und durchgeht, worauf alle anderen Pferde ebenfalls durchgehen und das Rennen auf nicht nachweisbare Art eben doch stattfindet. Elisabeth gewinnt den Wettlauf jedes Mal, denn erstens reitet sie wie der Teufel und zweitens ist sie klein und leicht und führt weder hinderliche Säbel noch Schusswaffen oder sonstige Insignien mit sich.

Nach dem Rennen lassen die Dragoner ihre Pferde auslaufen und kehren zurück zu ihren dienstlichen Obliegenheiten. Elisabeth aber reitet weiter bis zur Umfassungsmauer des Schlossparks, wo es eine halb unter Efeu versteckte Tür gibt, zu der sie den Schlüssel hat. Es wäre sinnlos, jetzt noch nach ihr suchen zu lassen, denn sie reitet schneller als alle ihre Verwandten, und von jemandem, der nicht königlichen Geblüts wäre, würde sie sich eine Umkehr nicht befehlen lassen.

Sobald das Schloss außer Sicht ist, nimmt sie es ruhiger. Sie spaziert durch die Landschaft, atmet den Duft der Welt, beobachtet den freien Flug der Wolken über dem flachen Land und lauscht dem Gesang der Vögel. Mittags steigt sie aus dem Sattel und legt sich im Schatten eines Baums ins Gras, und später geht sie zu Fuß übers Land, zieht das Pferd am Zaum hinter sich her und schaut den Bauern bei der Feldarbeit zu. Sie würde gern zu ihnen gehen und mit ihnen reden, aber die Bauern drehen der Demoiselle den Rücken zu und tun, als bemerkten sie sie nicht. Elisabeth kennt das schon. So ist es immer.

Sie reitet weiter über die Felder, durch die Wälder und an den Kanälen entlang, auf denen Lastenkähne sich von schweren Kaltblütern nach der Hauptstadt ziehen lassen.

Manchmal legt ein Kahn am Ufer an, dann bittet Elisabeth die Schifferleute, sie an Bord zu nehmen. Die Männer wagen es nicht, ihr den Wunsch abzuschlagen, helfen ihr an Bord und binden ihr Pferd zu den anderen Gäulen an den Treidelstrang, und dann lösen sie die Taue und stoßen den Kahn mit Stangen vom Ufer weg, während Elisabeth sich auf einer Taurolle niederlässt, ihre seidenweiß bestrumpften Beine ausstreckt und etwas Nettes über das Wetter oder die Sauberkeit auf dem Kahn sagt. Sie wünschte sich sehr, dass wenigstens ein Mal einer dieser Männer aus freien Stücken ein Wort an sie richtete, sie vielleicht gar mit dem Vornamen ansprächen, aber das tun sie nicht. Die Männer sprechen sie überhaupt nicht an. Sie sind schwer mit ihren Tauen und Stangen beschäftigt und geben sich große Mühe, die Prinzessin nicht zur Kenntnis zu nehmen, denn sie fürchten sich vor ihr. In ihren Augen ist dieses Bündel aus Taft und Seide, das ihnen da über die Reling geweht wurde, die fleischgewordene Staatsgewalt und als solche eine tödliche Gefahr. Solange sie an Bord ist, kann jedes falsche Wort, jede kleine Geste Vernichtung und Tod über das Schiff bringen. Darum schauen die Männer angestrengt aufs Wasser hinaus, bis Elisabeth ein Einsehen hat und darum bittet, an Land zurückgebracht zu werden.

So vergeht der Tag. Bevor die Sonne untergeht, wendet sie ihr Pferd und galoppiert heimwärts, hinein in den Schlosspark und vorbei an der Kaserne der Hundertschweizer, die auf ihren Pritschen liegen und inbrünstig in Dur und Moll ihre ferne Heimat besingen.

Spätestens zum Abendessen muss Elisabeth wieder im Schloss sein, das ist eisernes Gesetz. Solange sie jung ist, wird man ihr die Fluchten und Torheiten nachsehen und sie an der langen Leine lassen, aber in Gefangenschaft wird sie doch bleiben; auch wenn sie ein noch so schnelles Pferd unter sich hätte und noch so viel Geld in der Tasche, gäbe es kein Entweichen aus dem goldenen Käfig. Sie ist als Prinzessin geboren und wird als Prinzessin sterben, es sei denn, sie würde Äbtissin eines Klosters werden oder einen ausländischen Monarchen heiraten. Aber das hieße nur, von einem Käfig in einen anderen umzuziehen. Da bleibt Elisabeth doch lieber in Versailles. Zu diesem Käfig hat sie immerhin die Schlüssel.

Nach dem Abendessen geht sie zu Bett und liest heimlich Bücher, die sie vor dem Bruder und den Gouvernanten verstecken muss; Theaterstücke, Liebesromane und die neuen Philosophen; die Enzyklopädie Diderots und D'Alemberts, vor allem aber Voltaire und Rousseau. Dass die menschliche Gesellschaft verderbt und korrupt sei, kann sie aus täglicher Anschauung im Schloss vorbehaltlos bestätigen, und dass der einfache, tätige Mensch in seinem Naturzustand edel und gut ist, beobachtet sie bei ihren Ausritten zu den Bauern immer wieder, wenn auch nur aus der Ferne.

Elisabeth will zurück zur Natur. Sie will keine Prinzessin mehr sein, will nicht mehr in dem alten Schloss wohnen. Auf einem Bauernhof will sie leben, auf einem richtigen Bauernhof mit Obstbäumen und Weiden mit echten Kühen darauf, und einen Gemüsegarten und einen Hühnerstall will sie haben und Knechte und Mägde, die alle fleißig und gesund, einander wohlgesinnt und glücklich sind. Denn die beste aller Welten ist möglich, wenn nur jeder Mensch an seinem Platz mit bestem Wissen und Gewissen seinen Garten bestellt; daran will die Prinzessin glauben.

Wenn Elisabeth etwas will, trägt sie ihren Wunsch dem Bruder vor. König Ludwig XVI. ist ein schwacher und langweiliger Mensch, aber er liebt seine kleine Schwester und erfüllt ihr gern ihre Wünsche; also schenkt er ihr zu ihrem neunzehnten Geburtstag einen hübschen kleinen Bauernhof, mit dem sie sich tagsüber die Zeit vertreiben darf. Aber in den sechs Jahren bis zu ihrer Volljährigkeit, darauf besteht er, muss sie jeden Abend zur Essenszeit heimkehren ins Schloss.

Das Landgut Montreuil liegt eine gute Meile vor Versailles an der Allee nach Paris, gleich neben dem Wohnheim der italienischen Kastraten; Ludwig hat es einem verarmten Adligen abgekauft. Es umfasst acht Hektaren Acker- und Weideland. Um das ganze Anwesen läuft eine efeubewachsene Mauer von doppelter Mannshöhe, im Eingangstor hält rund um die Uhr ein Schweizer Gardist Wache. Am Ende der Auffahrt steht ein einstöckiges, ziemlich heruntergekommenes Landhaus, daneben ein strohgedeckter Stall, in dem schon lang kein Vieh mehr schläft; auf dem Misthaufen wachsen kleine Platanen. Hinter dem Haus gibt es einen Obsthain, dessen Bäume schon lang nicht mehr geschnitten wurden, und einen brombeerenüberwucherten Gemüsegarten. Über allem liegt noch immer dieser schwefelgelbe Nebel, der wenige Wochen nach Elisabeths neunzehntem Geburtstag aufgezogen ist.

Seit vier Monaten geht sie täglich hier ein und aus. Zu Beginn ließ sie sich noch von ihren Gesellschaftsdamen begleiten, jetzt zieht sie die Gesellschaft der Mägde und Dienstmädchen vor. Sie hat sich im Landhaus schon behelfsmäßig eingerichtet mit ihren zweitausend Büchern, ihrem Cembalo und ihrem Billardtisch. Manchmal bringt sie auch Besuch mit – einen Waisenjungen aus der Stadt, dem sie den Billardtisch zeigen will, oder eine kranke Alte aus dem Straßengraben, die sie auf eine Tasse Tee eingeladen hat, oder einen Bauernknecht vom Land, dem sie ein Messer schenken will.

Der Schweizer Gardist im Eingangstor hat sich rasch an die originellen Auftritte der Prinzessin gewöhnt. Aber als sie um die Mittagsstunde des 19. September 1783 in Gesellschaft eines Hammels, einer Ente und eines Hahns mit geknicktem Flügel angeritten kommt, da wundert er sich doch.

Die Lebensmittel sind knapp in jenem Herbst, Elisabeth weiß das. Wegen des gelben Nebels waren die Ernten schlecht, der Winter ist zu früh hereingebrochen. Das Volk friert und leidet Hunger. Dagegen will Elisabeth etwas tun, ihr Bauernhof soll die Elenden und Unglücklichen ernähren. Sie will die vergandeten Äcker pflügen lassen, die alten, verknorzten Obstbäume sollen geschnitten, der Gemüsegarten wieder bestellt werden. Und in den Ställen soll wieder Vieh stehen. Gänse und Hühner, Schafe und Schweine. Und Kühe. Milchkühe vor allem.

Elisabeth will von allem nur das Beste, denn mit dem Zweitbesten wäre die beste aller möglichen Welten logischerweise nicht zu erschaffen. Ihre Hühner will sie aus der Bresse herbeischaffen lassen und die Schweine aus Flan-

dern, die Schlachtrinder aus dem Burgund und die Arbeits-
pferde aus Brabant. Die Milchkühe aber müssen Schweizer
Milchkühe sein; die geben die beste Milch, das ist bekannt.
Sie werden viel Milch geben müssen, denn die Kinder der
Elenden sind zahlreich. Elisabeth wird ihrem Bruder beim
Abendessen sagen, dass sie gern eine Herde Schweizer Kühe
hätte. Am liebsten schwarzweiße Freiburger Milchkühe, die
sind genügsam und kräftig, und ihre Euter sind ergiebig. Das
hat Elisabeth irgendwo gelesen, bei Diderot vielleicht.

So macht die Prinzessin sich ans Werk. Mag sein, dass jenseits der Umfassungsmauern ihres Landguts zwei Millionen
Franzosen hungern und frieren, und dass in Paris, keine zwei
Stunden Kutschenfahrt entfernt, Zehntausende von Stadt-
bewohnern in Schmutz und Elend leben; mag sein, dass
überall im Land die Getreidemühlen still stehen und die
Backstuben auskühlen, und dass die Bauern gegen immer
noch höhere Steuern revoltieren und die Bürger in den Städten schon Schusswaffen horten, um ihr Geld gegen den Fis-
kus zu verteidigen; mag sein, dass Frankreich der Staats-
bankrott droht wegen der desaströsen Kriege in Amerika
und der Verschwendungssucht des Königshauses, und dass
der Pöbel in den Gassen von Paris schon aufrührerische Lieder singt; gegen all das kann Elisabeth nichts machen. Aber
auf Montreuil ist sie nicht machtlos, hier kann sie etwas tun.
Hier wird sie zeigen, dass die beste aller Welten möglich ist.

Das fängt mit der Topographie an. Es gefällt der Prinzessin
nicht, dass Montreuil auf den gesamten acht Hektaren eine
einförmige Ebene ist; ist das nicht ein Sinnbild vollendeten

Niedergangs, wenn sich nichts mehr aus der Fläche erhebt? So hat sich Elisabeth ihr Paradies nicht gedacht. Sie hätte gern einen kleinen Berg, der von einem Wald bedeckt ist. Der Inspektor der königlichen Bauwerke hat schon einen Plan gezeichnet, bald werden die Taglöhner mit ihren Schaufeln und Pickeln anrücken und den Berg aufschütten. Er soll hoch genug werden, dass man vom Gipfel aus im Osten die Dächer von Paris und im Süden das nahe Schloss Versailles wird sehen können, und an den Flanken wird ein Wald mit Bäumen aus aller Herren Ländern wachsen: Pinien aus Griechenland und Mammutbäume aus Amerika, englische Eichen und italienische Kastanienbäume, japanische Ginkos, spanische Olivenbäume und libanesische Zypressen sowie Eukalyptusbäume aus Australien, Zedern aus China und Birken aus Sibirien; in ihrem Wald, so wünscht es sich Elisabeth, soll die ganze Welt vereint sein. Ein lauschiger Bach wird durch den Wald plätschern, über eine Bogenbrücke wird man zu einer künstlichen Liebesgrotte gelangen. Das Wasser des Bachs wird durch eine kilometerlange Röhre aus der Seine auf den Hügel hinaufgepumpt, am Ende stürzt es über einen kleinen Wasserfall in die Ebene und mündet in einen Entenweiher.

Die Viehweiden und Ackerflächen dürfen dann gern topfeben bleiben, das wird dem Bauern die Arbeit erleichtern. Das Landhaus wird um eine Etage aufgestockt und im neoklassizistischen Stil hergerichtet mit dorischen Säulen und einer Fassade aus fein behauenen Steinquadern. Unter dem schiefergedeckten Mansardendach liegen die Dienstmädchenkammern, im Obergeschoss die Privaträume der Prinzessin mit der Bibliothek, dem Billardtisch sowie einem türkischen Boudoir und dem noch unbenutzten Schlafgemach; im Erdgeschoss werden die Empfangsräume und eine kleine Krankenstation eingerichtet, in der Elisabeths Leibarzt unentgeltlich die Krankheiten der Armen behandelt. Neben dem Wohnhaus entsteht eine kreisrunde romanische Kapelle mit einem Kuppeldach, dahinter ein strohgedecktes mittelalterliches Wohnhaus fürs Gesinde und ein pittoresker, langgezogener Stall fürs Groß- und Kleinvieh.

Nach einem Jahr sind die gröbsten Erd- und Bauarbeiten abgeschlossen, nun kann Elisabeth zusätzliches Personal rekrutieren; sechs provenzalische Dienstmädchen für den Haushalt, einen Förster für den Wald und einen Wildhüter für die Hasen und Hirsche, die man im Wald aussetzen wird; schließlich auch einen normannischen Bauern für die Landwirtschaft sowie ein paar Knechte und bretonische Milchmädchen, die ihm zur Hand gehen werden.

Im zweiten Jahr plätschert schon das Wasser im Bächlein, auf dem Berg sprießen die Bäume und die Wiesen sind wieder grün. Im dritten Jahr baut der Bauer erstmals Kartoffeln und Weizen an, und die Hühner legen prachtvolle Eier und auf den Wiesen äsen die Mutterkühe mit ihren Kälbern.

Alles ist zum Besten bestellt, nur die Freiburger Milchkühe bereiten Schwierigkeiten; die Bauernknechte kommen beim Melken nicht mit ihnen zurecht. Viel zu grob zerren sie mit ihren rauen normannischen Händen an den zarten Schweizer Zitzen, nur tropfenweise kommt die Milch heraus. Die Viecher brüllen vor Schmerz, ständig sind die Euter entzündet. Die Knechte fluchen und schimpfen und geben den Tieren Fußtritte. Als der Bauer das sieht, schimpft und flucht er ebenfalls, gibt den Knechten Fußtritte und versucht die Kühe selbst zu melken. Aber auch unter seinen Händen will die Milch nicht fließen, die Kühe brüllen weiter. Also gibt auch der Bauer den Kühen Fußtritte, dann spricht er bei der Prinzessin vor und sagt ihr mützenknetend, die Viecher seien, mit Verlaub, nicht zu gebrauchen, man müsse sie schlachten und durch normannische Milchkühe ersetzen.

— Er will meine Kühe schlachten?, fragt Elisabeth.

— Jawohl, Madame.

— Wieso?

— Weil man sie nicht melken kann.

— Ist ihm bewusst, dass das Schweizer Milchkühe sind?

— Jawohl, Madame.

— Schweizer Milchkühe sind eigens zum Zweck der Milchproduktion gezüchtet worden. Das Gemolkenwerden ist sozusagen ihr Lebenszweck.

— Das ist mir klar, sagt der Bauer. Trotzdem geben sie keine Milch.

— Wenn zwölf Schweizer Milchkühe einem Bauern keine Milch geben, sagt Elisabeth, liegt das Problem, würde ich sagen, eher beim Bauern als bei den zwölf Milchkühen. Unter diesen Umständen sehe ich nicht ein, weshalb es die Kühe sein sollen, die man schlachten muss.

Der Bauer trollt sich und ist schon froh, dass er nicht geschlachtet wird. Elisabeth aber beschließt, dass es die beste aller möglichen Lösungen wäre, ihre Freiburger Milchkühe von einem Freiburger Kuhhirten melken zu lassen. Beim Abendessen trägt sie diesen Gedanken ihrem königlichen Bruder vor, und der verspricht ihr, die Sache nächstens mit einem seiner Schweizer Arschkriecher zu besprechen. Mit de Meuron vielleicht oder mit Besenval. Oder gleich mit einem von den Freiburgern, wie heißen die nochmal. La Purée oder so. Oder de Weck. Ulkige Namen. Und ein drolliges Französisch sprechen sie. Wie heißt der Stotterer nochmal? De Diesbach, richtig.«

An dieser Stelle hielt Max inne und lauschte in die Dunkelheit der Fahrzeugkabine hinein. An Tinas regelmäßigem Atmen konnte er hören, dass sie eingeschlafen war. Das machte ihn ebenfalls schläfrig, er beschloss, eine Pause einzulegen. Er rückte sich in seinem Sitz zurecht, hob die Füße aufs Armaturenbrett und legte aus alter Gewohnheit zahlloser gemeinsamer Autofahrten seine linke Hand in Tinas Schoß. Sie nahm im Schlaf seine Hand und drückte sie, und dann schlief auch Max ein.

Nach einer halben Stunde erwachte er, weil seine Füße kribbelten. Ächzend nahm er sie herunter. Davon erwachte auch Tina.

»Bist du wach?«

»Ja.«

»Wie spät ist es?«

»Viertel nach zwei. Frierst du?«

»Es geht. Aber dunkel ist es hier drin.«

»Wir sind wieder eingeschneit.«

»Zum Glück hast du Leuchtziffern an der Uhr, sonst wüsste man nicht, ob man die Augen offen oder geschlossen hat.«

Tina nahm die Scheibenwischer in Betrieb, worauf wieder etwas Licht ins Innere des Wagens drang.

»Und dann diese Stille, wenn du nicht mehr erzählst. Als

ob die Dunkelheit nicht schon genug wäre. Schwarze Nacht und Grabesstille, das ist wie tot sein.«

»Du findest es still hier oben?«

»Furchtbar. Du nicht?«

»Da ist doch immerhin dieses Rauschen.«

»Was für ein Rauschen?«

»Hör doch.«

»Ich höre nichts.«

»Dieses Rauschen. Das ist das Rauschen des Tals. In den Bergen hat jedes Tal sein Grundrauschen in der ihm eigenen Frequenz, einmalig und unverwechselbar wie ein Fingerabdruck.«

»Sag bloß«, sagte Tina. »In der ihm eigenen Frequenz?«

»Es ist immer da, auch wenn es in den meisten Tälern übertönt wird vom Rauschen des Winds, des Straßenverkehrs oder des Pumpspeicherkraftwerks. Hunde und Katzen hören es rund um die Uhr und müssen damit leben, wir Menschen aber nehmen es nur in außergewöhnlichen Situationen wahr. In Momenten großer Einsamkeit zum Beispiel. Oder spätabends. Oder bei einsamen Wanderungen in großer Höhe.«

»Das ist wieder mal Quatsch, hier rauscht überhaupt nichts. Und wenn doch, schluckt es der Schnee. Der Schnee schluckt alles hier oben. Erst hat er die Welt verschluckt, dann dich und mich und jetzt auch noch das Licht und den Ton. Licht aus, Ton aus, schwarze Nacht und Grabesruhe.«

»Ich hör's rauschen.«

»Das ist das Rauschen deines Blutes, in der ihm eigenen Frequenz. Oder das Flimmern deiner Software zwischen Trommelfell und Stammhirn.«

»Der war gut.«

»Danke.«

»Und wie läuft's bei dir zurzeit zwischen Trommelfell und Stammhirn? Flimmert's da vielleicht auch ein wenig?«

»Da herrscht kristallklare Stille, danke der Nachfrage.«

»Das freut mich zu hören. Mir schien gerade, als ob es bei dir ein wenig flimmerte. Soll ich weiter erzählen?«

»Gern. Habe ich vorhin etwas verpasst?«

»Was hast du als Letztes noch mitbekommen?«

»Die Prinzessin. Den blöden König in seinem morschen alten Kasten. Den Puppenstubenbauernhof auf Montreuil.«

»Die Freiburger Kühe?«

»Was ist mit denen?«

»Die Prinzessin hat Freiburger Kühe auf ihrem Bauernhof. Jetzt will sie einen Freiburger Kuhhirten, der auf die Kühe aufpasst.«

»Und?«

»Jetzt kehren wir zurück ins Greyerzerland. Dort taucht an einem Novembertag des Jahres 1787 frühmorgens ein fremder Soldat auf und macht einen Rundgang im Städtchen. Der Mann fällt den Bürgern auf mit seiner rotweißen Korporalsuniform, die Leute fangen an zu tuscheln. Kennt den jemand? Nie gesehen. Wenn das einer von hier wäre, würde man ihn kennen, also muss er ein Fremder sein. Säbel an der Linken, prall gefüllter Geldbeutel an der Rechten, Korporalsabzeichen an den Ärmeln, goldene Knöpfe am Rock, schwarz gewienerte Stiefel, dreieckiger Hut.

Der Mann hat den lässigen Gang eines Soldaten und den melancholischen Blick eines alten Kriegers, und er besichtigt das Städtchen nicht wie ein neugieriger Fremder, sondern wie einer, der sich an alte Zeiten erinnert. Eingehend betrachtet er die Kirche und den leeren Marktplatz, dann setzt er sich unter der alten, kahlen Linde auf die Sitzbank, streckt die Füße von sich und lässt sich von der Morgensonne wärmen. Es ist ungewöhnlich mild für November, seit Tagen wehen frühlingshaft warme Fallwinde aus den Bergen; draußen auf dem Land machen sich die Bauern schon Sorgen, dass die Kirschbäume vor dem Winter nochmal ausschlagen könnten.

Wo der Soldat wohl herkommt? Was der hier will? Als die Kirchturmglocke zur Mittagsstunde schlägt, steht er auf, gähnt und streckt sich und geht hinüber zum Gasthof *L'Epée Couronnée*. Dort isst er Rinderbraten, Kartoffelpuffer und Rotkraut, dazu trinkt er eine Kanne Apfelwein. Danach kehrt er zur Sitzbank zurück und bleibt dort nochmal zwei Stunden sitzen. Sieht aus, als würde er auf jemanden warten. Auf wen wohl? Hoffentlich ist er bald wieder weg, Soldaten bringen nur Ärger. Manchmal sind sie gut fürs Geschäft, besonders, wenn sie in großer Zahl auftreten. Aber Ärger bringen sie immer, einzeln wie auch im Rudel.

Als die Sonne hinter einem Hausdach verschwindet, erhebt sich der Soldat, überquert den Marktplatz und spaziert durch die Hauptgasse. Freundlich betrachtet er die Ladengeschäfte links und rechts, tritt aber nirgends ein. Schließlich gelangt er zum *Hotel de la Couronne*, stößt die Tür auf und trägt sich im Gästebuch als Jacques Bosson ein. Diesen Namen trägt er nun schon acht Jahre. Gleich am Tag seines Dienstantritts in Cherbourg hatte er verstanden, dass die Franzosen seinen deutschen Namen niemals würden aussprechen können.

Drei Tage später ist Markttag, die Bauern fahren mit ihren Gemüsekarren auf den Marktplatz. Noch immer ist es frühlingshaft warm. Marie Magnin ist schon im Morgengrauen ins Städtchen gefahren mit ihrem Karren. Sie poliert das Obst und Gemüse und legt es ordentlich aus, zählt das Kleingeld in der Kasse und legt das Standgeld für den Gebühreneintreiber beiseite. Dann geht sie hinüber zum Stand ihrer Nachbarin, um mit ihr eine Tasse Tee zu trinken.

Da tritt ein Soldat an ihren Stand. Marie bemerkt ihn. Langsam stellt sie ihre Tasse ab. Die anderen Marktfahrer haben den Soldaten auch schon gesehen, und die Bürgersfrauen mit ihren Einkaufskörben auch. Aller Augen sind auf den Soldaten gerichtet, wie er vor Maries Gemüsestand steht. Marie erhebt sich und kehrt zu ihrem Stand zurück.

Sie begrüßt den Soldaten und fragt ihn, was er gerne hätte.

Früchte, sagt er. Oder Gemüse.

Bitte schön, sagt Marie, die gesamte Auslage stehe zu seiner Verfügung.

Ob denn alles frisch sei, fragt der Soldat.

Frisch wie am ersten Tag, sagt Marie.

Das sei gut, sagt er, das freue ihn sehr. Sie könne sich gar nicht vorstellen, wie sehr ihn das freue.

Marie fragt, in welcher Währung der Herr zu zahlen gedenke.

In Dukaten, sagt der Soldat, in guten, harten Golddukaten. Die nutzen sich nicht ab und behalten ihren Wert. Ein Leben lang.

Das glaube sie ihm gern, sagt Marie, das glaube sie sehr gern. Sie kann sehen, dass der Soldat errötet. Sie errötet auch.

Er sagt, er hätte gern ein Pfund Äpfel.

Boskop?, fragt sie.

Der Soldat nickt. Marie legt drei Äpfel und einen Gewichtsstein auf die Waage, dann reicht sie ihm die Äpfel. Der Soldat steckt sie in seine Tasche und zieht eine Münze aus dem Beutel. Sie streckt ihm ihre offene Hand entgegen, er reicht ihr die Münze. Im letzten Augenblick aber lässt er das Geldstück zwischen seinen Fingern verschwinden und legt seine geschlossene Faust in ihre Handfläche, und dann umschließen ihre Finger seine Faust. Eine Sekunde nur verharren die beiden in dieser ersten Berührung seit acht Jahren, dann öffnet er die Faust und lässt die Münze in ihre Hand gleiten.

Vielen Dank, sagt Marie.

Der Soldat legt die Fingerspitzen der rechten Hand an seine Hutkrempe und geht ab. Sämtliche auf dem Marktplatz anwesenden Bauern und Bürger gaffen ihm hinterher.

Als am Abend der Bauer Magnin auf der Sitzbank unter dem Birnenspalier sitzt und im warmen Föhnwind seine Feierabendpfeife raucht, kommt auf der Landstraße die Nichte des Pfarrers herangehinkt. Ach herrje, denkt der Bauer, was will die ausgebleichte Dörrpflaume denn schon wieder.

— Grüß dich, Mathilde, brummt er neben seiner Pfeife hervor. Du willst zu Marie?

— Wegen der Haselnüsse im Pfarreiwäldchen, haucht Mathilde. Die wären mal wieder reif.

Der Bauer stutzt. Das hätte er nicht gedacht, dass dieses verhutzelte Staubknäuel jemals wieder die Kühnheit aufbringen würde, in seiner Gegenwart und auf seinem Hof von den Haselnüssen im Pfarreiwäldchen zu sprechen. Das ist dermaßen unverschämt, dass es nur arglos sein kann. Was soll's, denkt der Bauer, die Sache ist ja nun immerhin schon ein paar Jährchen her.

— Meinetwegen, sagt er, Marie ist bei den Hühnern. Na geh, lauf schon.

Also spazieren die zwei alternden Mädchen zum Pfarrei-wäldchen, genauso wie damals, nur dass diesmal auf der Landstraße kein barfüßiger Hirtenbub auf sie wartet, son-dern ein schöner Soldat mit blinkenden Uniformknöpfen und einem dreieckigen Hut. Seine rechte Hand ruht auf dem Säbelgriff, in der linken hält er den Knauf einer Tür, die an einer Kutsche befestigt ist. An der Kutsche sind zwei Pferde angespannt, die mit nach hinten gestellten Ohren auf die Be-fehle des Kutschers warten. Der Kutscher sitzt hoch oben auf dem Kutschbock und betrachtet gelangweilt den Hori-zont.

Der Soldat hilft Marie und Mathilde beim Einsteigen, der Kutscher gibt den Pferden die Zügel und schnalzt mit der Zunge, und dann fährt die Kutsche zu einem Landgasthof. Es ist immer noch frühlingshaft mild, der Biergarten unter den Kastanien ist voller Gäste. Marie findet einen freien Tisch, Jakob bestellt erst Wein, dann Speck, Käse und Brot. Sie essen und trinken, lachen und reden über irgendwas und irgendwen, worüber, ist völlig gleichgültig. Marie be-richtet von den neusten Entwicklungen in der Ballonluft-fahrt, der Heißlüfter ist aus der Mode geraten, Gasballons sind effizienter und sicherer. Jakob erzählt von Pottwalen, die an der Küste der Normandie vorbeiziehen. Mathilde ver-rät den Trick, mit dem ihr Onkel an Karfreitag die Wund-male Christi bluten lässt.

Als es dunkel wird, stellt der Wirt Laternen auf. Im Hintergrund plätschert ein Brunnen, im Stall ächzt das schlafende Vieh. Später flaut der Föhnwind unvermittelt ab, eine kühle Brise aus Nordost setzt ein; binnen einer Stunde hält der Winter Einzug im Greyerzerland. Alle anderen Gäste sind schon lange aufgebrochen, es ist Zeit zu gehen. Marie, Mathilde und Jakob stehen auf und gehen zur Kutsche. Der Geruch nach Schnee liegt in der Luft. Der Wirt trägt die Stühle in die Scheune. Bis zum Frühling wird niemand mehr unter den Kastanienbäumen sitzen.

Zuerst bringt die Kutsche Mathilde zum Pfarrhaus, dann fährt sie beim Hof des Bauern Magnin vor. Die Räder knirschen vernehmlich in der Stille der Nacht. Vor der Laterne über der Haustür tanzen die ersten Schneeflocken. Die Pferde schnauben. Erst steigt Jakob aus, dann Marie. Jakob spricht leise mit dem Kutscher und tätschelt einem Pferd den Hals, Marie überquert den Hof und bleibt vor der Freitreppe stehen. Da fliegt die Tür auf, heraus stürmt der Bauer mit nacktem Wanst und zornrotem Schädel. Er brüllt und tobt, seine Söhne und Knechte müssen ihn an den Armen und an der Hose zurückhalten.

Unten am Fuß der Treppe steht Marie und schaut mit verschränkten Armen zu ihrem Vater hinauf. Jakob hält sich abseits im Halbdunkel und streichelt das Pferd, das Licht der Laterne spiegelt sich in seinem Soldatensäbel. Der Kutscher schaut teilnahmslos in die Nacht hinaus. Es fängt nun richtig an zu schneien.

Der Bauer macht Anstalten, sich von seinen Söhnen loszureißen und sich über die Treppe hinunter auf die Tochter zu stürzen, und dazu brüllt er, man solle ihm seine Peitsche, eine Mistgabel, die Pistole reichen. Eine Weile hört Marie ihm zu und wartet ab. Als aber die Brüllerei des Vaters zu keinem Ende findet, tut sie etwas Unerwartetes: Sie klatscht in die Hände. Zwei Mal, klapp, klapp. Der Bauer verstummt verblüfft. Das hat noch niemand gewagt, ihn wie einen Hund zum Schweigen zu bringen. Die Tochter ist genauso baff, dass es funktioniert. Da hätte man früher im Leben drauf kommen müssen.

— Hör mir zu, Vater, sagt Marie. Ich gehe jetzt mit Jakob in die Berge und bleibe über den Winter dort. Ich bin volljährig und kann tun und lassen, was ich will. Über die möglichen Folgen bin ich mir im Klaren, ich werde sie geduldig tragen. Nach Ostern komme ich wieder, dann sehen wir weiter. Leb wohl derweil.

Wie sich Marie umdreht und im Dunkel der Kutsche verschwindet, hebt der Bauer aufs Neue zu schimpfen und zu fluchen an. Er schwört, dass er den Weg hinauf zur Melkhütte bestens kenne, und dann schildert er Jakob die Folterqualen, unter denen er ihn vom Leben zum Tode befördern werde. Eine Weile hört Jakob sich das an, dann hebt er beschwichtigend die rechte Hand. Und auch das funktioniert. Der Bauer, wiederum verblüfft, verstummt aufs Neue.

— Sei nicht dumm, Bauer, sagt Jakob leise und freundlich, lass es gut sein. Marie und ich gehen jetzt, du kannst nichts dagegen tun. Die Zeiten ändern sich, mach deinen Frieden damit und lass den Dingen ihren Lauf. Und eins vor allem, Bauer: Komm nicht zu mir auf meine Alp. Sobald du mein Land betrittst, schieße ich dich nieder, und zwar in Notwehr, ich werde im Recht sein. Ich habe ein neues französisches Langgewehr, damit treffe ich auf fünfhundert Schritte zwischen deine Augen. Das wird ganz schnell gehen, du wirst schon tot sein, bevor du umfällst. Denk nach, Bauer. Sei klug und lass es gut sein.

Das ist bei weitem die längste Rede, die Jakob in seinem Leben gehalten hat. Er tätschelt dem Pferd noch einmal den Hals, dann steigt er zu Marie in die Kutsche und zieht die Tür zu. Der Kutscher schnalzt mit der Zunge und gibt den Pferden die Zügel. Die Räder zeichnen eine Spur in den Schneeflaum auf der Straße, rasch legt sich neuer Schnee über sie. Es schneit die ganze Nacht, während die Kutsche zum Jaunpass hinauffährt. Es schneit auch noch, als die leere Kutsche im Licht des neuen Morgens ins Unterland zurückkehrt, und es schneit weiter, während Marie und Jakob durch knietiefen Pulverschnee zur Melkhütte hinaufstapfen. Acht Jahre sind vergangen, seit sie zum letzten Mal hier oben waren. Jakob schleppt ein Tragreff voller Vorräte bergauf.

Die Eingangstür ist von einer Schneewehe verdeckt, Jakob muss sie freischaufeln. Dann gehen sie hinein und kommen fünf Tage und fünf Nächte nicht mehr hervor. Es schneit Tag und Nacht, die Hütte versinkt im Schnee. Aus dem Schornstein steigt manchmal Rauch auf, im Fenster ist gelegentlich das unruhige Licht einer blakenden Talgkerze zu sehen. Die Gemsen beobachten die Hütte aus dem sicheren Abstand felsiger Höhe, und da so lange Zeit kein Mensch herauskommt, steigen sie vorsichtig hinab auf die Alpweide, um unter dem Schnee nach Gräsern und Moosen zu suchen.

Es bläst ein bissiger Nordwind, der den Schnee verweht und die Landschaft einebnet. Im Unterland verschwinden Straßen, Bachläufe und Bodensenken unter der weißen Decke, in den Bergen füllen sich die Talböden mit Schnee; schon

am zweiten Tag sind alle Passstraßen, Saumpfade und Wald-
wege unpassierbar. Wer jetzt in den Bergen ist, wird lang
dort oben bleiben, und wer jetzt noch hinaufmöchte, wird
sich bis zum Frühling gedulden müssen.

Am frühen Morgen des sechsten Tages hört es plötzlich
auf zu schneien. Die Wolken reißen auf und verziehen sich,
am Mittag scheint die Sonne an stahlblauem Winterhimmel.
Da öffnet sich im Giebel der Melkhütte quietschend eine
Luke, dass die Bergdohlen auf dem Dach aufflattern, und
heraus klettert Jakob und lässt sich in den Schnee fallen. Er
schaufelt die Eingangstür und das Fenster frei, danach verschwindet er wieder in der Hütte. Und dann haben die Gemsen nochmal drei Tage Zeit, die Alpweide abzugrasen.

Marie und Jakob bleiben den ganzen Winter auf der Alp. An
schönen Tagen gehen sie Schlitten fahren oder Gemsen jagen, kochen ihre Wäsche im Freien aus und hängen sie zum
Trocknen in die Sonne. Bei Sturm und Schnee bleiben sie in
der Hütte, manchmal viele Tage lang. An Silvester bauen sie
einen Heißlüfter und lassen ihn um Mitternacht steigen,
und dann werden die Tage schon wieder länger. Allmählich
schmilzt der Schnee, nachmittags gehen an den Steilhängen
donnernd die Lawinen nieder. Die Saumpfade und die Passstraße sind noch lange unpassierbar, aber an den sonnenbe-
schienenen Hängen lugt schon das Gras hervor.

Die Murmeltiere erwachen aus dem Winterschlaf, weil das
Schmelzwasser ihre Höhlen flutet. Sie kriechen ans Tageslicht und strecken ihre klammen Glieder; nach der halbjäh-
rigen Fastenzeit sind sie nur noch Fell und Knochen. Aber

noch bevor sie sich auf die Suche nach Nahrung machen, vereinigen sie sich auf der Weide zu purzelnden, zuckenden, japsenden, kopulierenden Fellknäueln, denn die Zeit ist knapp im Hochgebirge; wer vor Einbruch des nächsten Winters Nachwuchs zeugen, austragen und hinreichend mästen will, darf keine Zeit verlieren.

Marie und Jakob liegen auf einer Wolldecke in der Sonne, trinken Quellwasser und kauen getrocknetes Gamsfleisch. Sie hat den Kopf auf seinen Oberarm gebettet, er singt ihr ein Lied, das er in Cherbourg gelernt hat.

Möchtest du, dass ich dir Jakobs Lied vorsinge?«

»Oh ja!«, sagte Tina.

»*À la claire fontaine m'en allant promener,*
J'ai trouvé l'eau si belle que je m'y suis baigné.
Il y a longtemps que je t'aime, jamais je ne t'oublierai.
Sous les feuilles d'un chêne je me suis fait sécher.
Sur la plus haute branche le rossignol chantait.
Il y a longtemps que je t'aime, jamais je ne t'oublierai.
Chante, rossignol, chante, toi qui as le cœur gai,
Tu as le cœur à rire, moi, je l'ai à pleurer ...«

»Das ist schön«, sagte Tina. »Was meinst du, ob das Mädchen schwanger ist?«

»Nicht dass ich wüsste.«

»Seltsam. Die beiden sind hübsch und gesund, jung und verliebt und verbringen ein halbes Jahr eingeschneit, unbeobachtet und ohne anderweitige Beschäftigung zusammen in der Alphütte, davon wahrscheinlich viele Stunden gemüt-

lich und einvernehmlich auf dem Bärenfell vor dem Kamin-
feuer – und da soll sie nicht schwanger geworden sein?«

»Was weiß ich. Eine Laune der Natur.«

»Ob sie sich zerstritten haben? Da kann man schon den
Lagerkoller kriegen, weißt du, wenn man so lange eingesperrt ist.«

»Würdest du mit mir den Lagerkoller kriegen?«

»Vielleicht ist Marie krank geworden. Oder Jakob hat ein
Problem mit seinem Dings.«

»Der hat kein Problem mit seinem Dings.«

»Würde mich nicht wundern, wenn er ein Problem mit
seinem Dings hätte. Das ist oft so bei diesen Tarzantypen.
Gerade bei denen.«

»Jetzt hör auf damit. Der hat kein Problem mit seinem
Dings.«

»Woher willst du das wissen?«

»Ich weiß es eben. Du wirst schon sehen.«

»Wieso weißt du überhaupt, dass Marie nicht schwanger
ist?«

»Weil die Greyerzer Kirchenbücher in der fraglichen Zeit
keine Niederkunft einer Marie Magnin verzeichnet haben.«

»Du hast nachgeschaut?«

»Natürlich.«

»Vielleicht hat sie das Kind im Verlauf der Schwanger-
schaft verloren, oder es ist tot zur Welt gekommen. So etwas
geschah früher oft.«

»Kann sein. Ich würde aber vorschlagen, dass wir uns
nicht auf das weite Feld urologischer und gynäkologischer
Spekulation begeben.«

»Das wäre dir peinlich.«

»Die Faktenlage wäre zu dünn.«

»Du fändest Unterleibsgeschichten unappetitlich.«

»Und indiskret. Jedenfalls liegen Marie und Jakob an jenem Frühlingsnachmittag auf einer Wolldecke in der Sonne, als von unten aus dem Tal Hufgetrappel und Männerstimmen zu ihnen heraufdringen. Das ist der Besuch, den sie seit Beginn der Schneeschmelze erwartet haben. Jakob holt ihre gepackten Rucksäcke und das Gewehr aus der Melkhütte, dann laufen sie steil den Berg hinauf bis zu ihrem Unterschlupf.

Tief unter ihnen auf der Alp treten zwei Soldaten in rot-weißen Infanterieuniformen aus dem Halbdunkel des Fichtenwalds, hinter ihnen vier Pferde. Das ist einerseits ein gutes Zeichen, denn es bedeutet, dass die Soldaten Jakob nicht auf der Stelle totschießen und ihn auch nicht als Häftling in Ketten hinunter ins Tal schleifen wollen. Andrerseits bedeutet es auch, dass sie eindeutige Befehle haben und nicht unverrichteter Dinge wieder abziehen werden.

— He, Jakob!, brüllt der eine Soldat. Komm runter! Der Frühling ist da, du wirst erwartet im Unterland!

Der Berg antwortet mit Stille. Schwach schlägt von den Bergflanken das Echo des Gebrülls zurück.

— Jakob!, brüllt der Soldat nochmal. Stell dich nicht so an, komm runter! Schau her, wir haben zwei Pferde für euch mitgebracht! Und frische Kleider! Ich wette, ihr stinkt wie die Iltisse nach dem langen Winter hier oben!

— Sag dem Bauern, er soll uns in Ruhe lassen!

— Der lässt euch ja in Ruhe!

— Ach ja?

— Von ihm aus kannst du verschimmeln hier oben!

— Und Marie?

— Die kann auch verschimmeln! Sie darf aber auch nach Hause gehen, wenn sie will, der Bauer wird sie nicht totschlagen!

— Wer sagt das?

— Der Bauer!

— Warum seid ihr dann gekommen?

— Auf Befehl des Hauptmanns!

— Welchen Hauptmanns?

— Na, unseres Hauptmanns, du Pflock! Benjamin Von der Weid, Kommandant der dritten Kompanie im Regiment Waldner!

— Dem scheiße ich in die Mütze! Ich bin ehrenvoll aus dem Dienst entlassen!

— Der Hauptmann scheißt dir auch in die Mütze! Aber er hat Befehl, dich herunterzuholen!

— Von wem?

— Vom König!

— Welchem König?

— Dem König von Frankreich, du Kretin! Ludwig XVI. wünscht, dass du jetzt sofort runterkommst!

— Der König? Ich? Wieso?

— Jetzt mach, verdammt!

— Und Marie?

— Von der will der König nichts. Die kann hier verschimmeln, wie gesagt.

— Und wenn wir nicht runterkommen?

— Dann werden wir dich holen! Der Hauptmann hat hundert Gebirgsjäger, die werden dich schon erwischen.

— Das werden wir sehen.

— Irgendwann wirst du schlafen müssen. Eine Kompanie von hundert Mann schläft nie. Jetzt stell dich nicht so an und komm runter, Jakob! Und versuch nicht, abzuhauen! Es gibt keinen Ort auf der Welt, an dem der König von Frankreich dich nicht finden kann!

Dann hat das Gebrüll ein Ende, es wird wieder still zwischen den Bergspitzen. Marie und Jakob steigen nicht hinunter auf die Alp, sondern machen es sich in ihrem Unterschlupf zwischen den Bärenfellen bequem. Die Soldaten nehmen auf der Sitzbank vor der Melkhütte Platz, entkorken eine Flasche Birnenschnaps und trinken sie nach und nach leer. Die Schneefelder an den Bergflanken werden erst gelb und rosa, dann lila und hellblau. Als die Nacht hereinbricht, sind die Soldaten vom Birnenschnaps angenehm erwärmt und ermüdet. Sie gehen in die Hütte und legen sich auf Jakobs Strohsack schlafen.

Am nächsten Morgen steigt Rauch aus dem Kamin auf. Die Soldaten kommen heraus und rufen wiederum nach Jakob, aber der zeigt sich nicht. Den ganzen Tag geschieht nichts. Die Gemsen lugen schon um die Felsnasen, ob die Luft wieder rein ist. Wiederum werden die Berghänge lila und hellblau, wiederum betrinken sich die Soldaten und legen sich in der Hütte schlafen.

So vergehen drei Tage. Als die Soldaten am Morgen des vierten Tages aufwachen, stehen nur noch zwei Pferde vor der Hütte, die Hufspuren der anderen beiden führen abwärts und verlieren sich im zartgrün erblühten Tal. Ich stelle mir gern vor, wie Marie und Jakob hoch zu Ross wie zwei Königskinder aus dem verschneiten Hochgebirge in den erwachenden Frühling reiten, glücklich beisammen und tapfer dem nahenden Unglück, der unausweichlichen neuerlichen Trennung entgegen, nach einem halben Jahr innigsten Beisammenseins.

Jakob und Marie reiten zu zweit auf einem Pferd, um einander nahe zu sein, und das andere trottet hinter ihnen her und ruht sich aus. Aber auch wenn sie noch so lange trödeln, kann der schöne Ritt vom Jaunpass hinunter ins Greyerzerland nicht länger als ein paar Stunden dauern, irgendwann muss der Augenblick kommen, da sie voneinander Abschied nehmen müssen, an einer Wegkreuzung, im Schutz eines Baumstamms, hinter einer Scheune. Ein letzter Kuss, eine letzte Umarmung, während die Pferde gleichgültig am Wegesrand jungen Löwenzahn fressen, geflüsterte Schwüre im schwindenden Tageslicht, unartikuliertes Gemurmel, Tränen in den Augenwinkeln, dann noch eine Umarmung und noch eine und noch eine ...«

»Was haben sie mit den Pferden gemacht?«, fragte Tina.

»Hey, du bist ja wach. Guten Morgen!«

»Guten Morgen. Für mich bitte einen doppelten Espresso, zwei Scheiben Toast und ein Dreiminuten-Ei. Wie spät ist es?«

»Zehn vor vier.«

»Dann warte ich noch mit dem Frühstück. Erzähl mir lieber, was aus den Pferden geworden ist.«

»Das willst du wissen?«

»Natürlich.«

»Es spielt keine Rolle. Die Pferde tun nichts mehr zur Sache.«

»Wieso nicht?«

»Weil sie in der Geschichte nicht mehr mitmachen.«

»Die verschwinden einfach?«

»Genau. Die verschwinden, wie sie aufgetaucht sind.«

»Zwei Pferde sind eine große Sache. Die lösen sich nicht einfach in Luft auf.«

»Doch, das tun sie. Alles löst sich in Luft auf mit der Zeit. Und wenn nichts mehr da ist, ist die Geschichte aus.«

»Nicht wirklich, oder?«

»Streng genommen nicht, schon klar.«

»Also, was ist jetzt mit den Pferden? Steigen Marie und Jakob einfach aus dem Sattel und geben den Gäulen einen Klaps auf den Hintern? Macht's gut, ihr Braunen, ihr seid frei, und jetzt ab mit euch in die Savanne?«

»Gut, meinetwegen. Das eine Pferd, also der blässfüßige Ardenner mit der schwarzen Mähne, gehört dem Bauern, mit ihm reitet Marie nach Hause. Als sie auf dem väterlichen Hof eintrifft, ist es gerade Zeit fürs Abendessen, alle gehen zu Tisch. Marie nimmt dem Pferd den Sattel ab, reibt es trocken und führt es in den Stall. Dann geht sie ins Esszimmer und setzt sich nach beinahe halbjähriger Abwesenheit wortlos an ihren gewohnten Platz. Währenddessen isst die ganze Familie schweigsam wie immer und tut, als ob nichts sei. Soll ich die Lebensgeschichte des Pferdes weitererzählen bis an sein seliges Ende?«

»Und das andere Pferd?«

»Der schwarze Warmblüter mit den weißen Hinterläufen? Der gehört dem Hauptmann. Mit ihm reitet Jakob nach Freiburg und gibt ihn in der Kaserne ab, denn er weiß, dass er mit dem Pferd nicht weit kommen würde; eine volljährige

Bauerntochter darf man entführen, aber auf Pferdediebstahl steht Galeerenhaft. Danach meldet er sich bei Hauptmann Von der Weid, nimmt seinen Marschbefehl entgegen und macht sich auf den Weg nach Versailles.

Auf der alten Heeresstraße, die über den Jura durchs Burgund nach Paris führt, herrscht zu jeder Jahreszeit viel Verkehr. Bei Trockenheit liegt sie unter einer Staubwolke, bei Regen versinkt sie im Schlamm. Tag für Tag kämpft sich von morgens früh bis abends spät ein keuchender, schwitzender und stinkender Lindwurm aus überladenen Ochsenfuhrwerken, Pferdekutschen, Wandersleuten, Vagabunden, Marketenderinnen, Pilgern, Strauchdieben und Soldaten gegenläufig über den Schotter, und weil alles, was lebt, sich gelegentlich erleichtern und irgendwann auch sterben muss, zieht sich beidseits der Chaussee über Hunderte von Meilen eine durchgehende Jauche aus Kot und Seich und Tierkadavern in allen Zuständen der Zersetzung dahin, die mit ihrem Gestank sämtliche Mücken, Bremsen, Schmeiß- und Kotfliegen aus weitem Umkreis anlockt. Schwarze Insektenwolken machen sich erst über die Jauche und dann über die Warmblüter her, lecken ihnen den Schweiß von der Haut, saugen ihnen das Blut aus dem Leib und hinterlassen ihnen Krankheiten, deren Keime sie zuvor anderen Warmblütern aus dem Leib gesogen haben. Ist auf der Straße ein Pferd krank, werden alle anderen Pferde auch krank, hat ein Ochse die Seuche, breitet sie sich auf alle Ochsen aus. Ist ein Mensch krank, sorgen die Mücken ohne Ansehen der Person für die Verbreitung des Übels auf sämtliche Menschen in wahrhaft egalitärer Weise, und wenn dann einer dieser

Warmblüter am Wegesrand zum Sterben in den Staub sinkt, brummen von überall her Myriaden von Leichenkäfern herbei und legen, kaum dass er tot ist, ihre Eier in dessen noch warmem Fleisch ab. Man fragt sich doch immer wieder, wo die Viecher überhaupt herkommen und wie sie so rasch Kenntnis vom neuen Wirtstier erlangen konnten, es ist ja beinahe, als hätten sie prophetische Gaben oder könnten untereinander auf metaphysische Weise kommunizieren, mittels Telepathie oder Biochemie vielleicht ...«

»Du schweifst ein wenig ab, fürchte ich«, sagte Tina. »Dein Hass gegen Insekten ist mir bekannt.«

»Ich hasse sie nicht«, sagte Max. »Ich wünsche ihnen nur ein artgerecht kurzes Leben. Es ist wichtig, dass die Krabbelviecher rasch sterben, ihre Kurzlebigkeit ist eine lebensnotwendige Voraussetzung für den attraktiveren Teil von Gottes Schöpfung.«

»Ich weiß.«

»Wenn alle Insekten auf Erden nur schon eine Lebenserwartung von drei Monaten hätten, wäre nach einem Jahr der gesamte Planet mit einer vierzehn Meter dicken Schicht lebendiger Chitin-Leiber bedeckt.«

»Richtig.«

»Das haben britische Forscher ausgerechnet.«

»Ich weiß.«

»Kann sein, dass ich dir das schon mal erzählt habe.«

»Jawohl. Wie geht's jetzt weiter auf der Straße?«

»Ich will damit nur sagen, dass die Landstraße wegen der Insekten ein ziemlich ungesundes Pflaster ist. Hinzu kommen die Krankheiten, welche die Menschen einander direkt und ohne Zutun eines Zwischenwirts weiterreichen, weil sie auf der Reise aus denselben Flaschen trinken, einander anhusten, mit denselben Löffeln essen, ihre verschwitzten Leiber aneinanderreiben und nachts im Stroh beieinander-liegen.

So ist die Straße ein einziger vierhundert Meilen langer Herd von Malaria, Ruhr, Typhus, Pocken, Milzbrand, Lepra, Gonorrhoe, Syphilis, Schanker und Cholera, und weil Jakob das weiß, hält er sich von ihr fern. In sicherem Abstand zur Jauche, zum Fliegengeschmeiß und zu seinen virenver-seuchten Mitmenschen läuft er für sich allein neben der Straße her, mit jedem Schritt einen Schritt weiter fort von seiner Liebsten, immer nach Westen, dem Sonnenuntergang entgegen, mal auf Feldwegen, dann querfeldein über Wie-sen, Felder und Wälder.

Es ist Frühling, die Apfelbäume blühen. Tagsüber ruft der Kuckuck, nachts singt die Nachtigall. Einsam durchquert Ja-kob die dunklen Wälder des Jura und der Franche-Comté, dann das sanfte Wogen des Burgunds mit seinen Äckern, Rin-derweiden und Rebbergen, schweren Herzens und im Be-wusstsein, dass auch dieser Frühling ihn ohne seine Liebste dem Herbst seines Lebens näher bringen wird, aber doch festen Schritts und entschlossen, seinen Weg zu gehen bis zu dem Tag, an dem er Marie wiedersehen wird.

Ich stelle mir gern vor, dass er vor allem nachts unter-wegs ist, um unangenehme Begegnungen mit Landjägern, Zöllnern oder streitsüchtigen Bauern zu meiden. Als ein-samer Schatten streift er im Licht des Mondes durch Felder und Wälder, schreckt im Unterholz Rotwild auf und alar-miert auf halb verfallenen Bauernhöfen die Kettenhunde;

aber bevor sich die Tiere beruhigt haben, ist Jakob schon hinter dem nächsten Hügel verschwunden. Das Dornengestrüpp im Unterholz kann ihm nichts anhaben, denn an den Füßen trägt er keine Fußlappen wie die Ochsenknechte auf der Straße, sondern seine kniehohen Militärstiefel, die sich in acht Jahren Dienst samtweich an seine Füße geschmiegt haben. Er ernährt sich von den Beeren des Waldes und von Trockenfleisch, das er hin und wieder bei einem Bauern kauft, und nachts bereitet er sich an einsamen Orten, wo niemand sein Lagerfeuer sehen kann, auf kleiner Flamme seine Hafergrütze zu. Wenn dann im Osten der Morgen dämmert, hält er Ausschau nach einem entlegenen Weiher oder Bach, in dem er ein rasches Bad nehmen kann, bevor er sich in einem Heuschober oder einem verlassenen Gehöft zur Ruhe legt und den ganzen Tag wie ein Untoter schläft, während über ihm die Baumkronen rauschen, auf der Chaussee die Karawane dahinzieht und hoch am Himmel die Milane pfeifen.

Sorgfältig meidet er auf seiner Reise alle Dörfer und Städte, von ferne nur sieht er die Silhouetten von Besançon, Dijon und Châteauneuf. Als in der zwanzigsten Nacht zu seiner Rechten die gewaltigen Türme der Kathedrale von Paris auftauchen, zieht er sich vorsichtig in den Wald zurück und umgeht die große Stadt in einem weiten Bogen. Am folgenden Nachmittag trifft er von Süden her in Versailles ein.

Der erste Eindruck, den Jakob vom Schloss hat, ist der eines überwältigenden Gestanks; ein unfassbar scharfer, stechender, unerträglich beißender Ammoniakgeruch, ein Brodem von Verwesung, Moder, Schweinestall und Menschenlatrine – Schloss Versailles stinkt aufs Land hinaus wie ein gigantisches Scheißhaus. Das liegt daran, dass es ein gigantisches Scheißhaus ist. Für die fünftausend Bewohner des Schlosses gibt es nur vier spülbare Klosetts, von denen zwei seit Jahrzehnten außer Betrieb sind und ein drittes für die königliche Familie reserviert ist, weshalb das vierte in einem Zustand ist, der jeder Beschreibung spottet. Also verrichten die Lakaien und Höflinge ihre Notdurft, wo und wie sie gerade können, hinein in Töpfe, Krüge und Flaschen, die irgendwo entleert werden müssen, unter Treppenaufgängen und hinter Türen, aus den Fenstern, in dunklen Ecken, draußen hinter Gebüschen und zu Füßen von Marmorstatuen – und dies alles, weil die Not seit Generationen allen gemein ist, schon lange ohne jede Scham.

Jakob bindet sich ein Tuch um Mund und Nase und geht dem Gestank tapfer entgegen. An der Umfassungsmauer des Schlossparks findet er ein offenes Tor. Es ist unbewacht, ein paar Bettler liegen schlafend im Eingang. Jakob geht hindurch. Er wundert sich, dass niemand ihn aufhält.

Eine breite Allee führt durch einen lichten Eichenwald. Am Wegesrand steht ein Mann mit weiß gepudertem Gesicht, ungesund roten Lippen und aufgeknöpfter Culotte, der sich gleichmütig gegen eine Platane erleichtert. Weiter hinten hockt eine Frau mit gerafften Röcken im Unterholz. Ein Trupp Dragoner reitet vorbei. Zwei Lakaien tragen eine golden verschnörkelte Sänfte über die Allee, darin sitzt eine Frau, die ihr Gesicht hinter einer venezianischen Maske versteckt. Jakob schaut ihr hinterher, die Frau dreht sich mit ihrer Maske gespensthaft nach ihm um.

Je näher Jakob dem Schloss kommt, desto kräftiger mischt

sich in den Jauchegestank eine etwas mildere Note von erkaltetem Verbranntem; ein saurer Geruch nach feuchter Kohle und erstarrtem Teer, nach Pech und Schwefel, Rauch und Asche. Versailles riecht, als sei es kürzlich abgebrannt. Und es sieht auch so aus.

Das Schloss ist brandschwarz. Schwarz sind die einstmals sandsteinfarbenen Mauern der Gartenfassade und schwarz ihre Gesimse, schwarz die Säulen mit ihren korinthischen Kapitellen und schwarz die Balustraden, schwarz die Balkone vor den undichten Fenstern und die Statuetten vor den Regenrinnen – das ganze Schloss ist schwarz vom Rauch der über tausend offenen Feuer in den tausend offenen, schlecht ziehenden Kaminen, mit denen sich die Schlossbewohner in den viel zu hohen Sälen seit über hundert Jahren eine Illusion von Behaglichkeit zu geben versuchen; schwarz auch vom Ruß der zehntausend blakenden Öllampen und der hunderttausend Kerzen, die Abend für Abend entzündet werden. Schloss Versailles sieht aus wie abgebrannt. Und es riecht auch so. Wie ein abgebranntes Scheißhaus.

Jakob gelangt an einen breiten, verschlammten und von Seerosen überwucherten Kanal, der sich kreuzförmig in alle vier Himmelsrichtungen hinzieht. Er folgt dem südlichen Arm bis zum Kreuzungspunkt und dann dem östlichen Ausläufer bis an dessen Ende. Von dort führt eine geschwungene Freitreppe hinauf zu einer weiten Terrasse, von welcher eine weitere Freitreppe zur nächsten Terrasse führt. Links und rechts stehen überlebensgroße Statuen von barbusigen Göttinnen und muskulösen Helden, dann auch muschelförmige Brunnenbecken mit wasserspuckenden Leguanen, wasserspuckenden Drachen und vergoldeten Amorstatuetten, die auf wasserspuckenden Delphinen reiten und Pfeile verschießen.

Jakob staunt.

Er staunt über so viel Schönheit, Eleganz und wahrhaft titanische Größe, aber mehr noch staunt er über den gottvergessenen, apokalyptisch menschenverlassenen Anblick, den das alles bietet. Die einstmals golden und marmorn schimmernden Statuen sind bedeckt von Moosen und Flechten, auf den breiten Alleen wuchert von den Rändern her Gras und Moos über den Schotter, an manchen Stellen schon bis zur Mitte hin. Ganze Rudel verwahrloster Hunde streunen durchs Gebüsch, in den Fugen zwischen den Treppenstufen wachsen junge Birken. Die prachtvollen Brunnen auf den Terrassen sind ausgetrocknet, die wasserspeienden Drachen und Fische speien kein Wasser mehr. In den Brunnenbecken liegt dürres Laub von vielen Jahren, zerfällt zu Erde und bildet einen Nährboden für Gras, Sprösslinge und wilde Blumen.

Jakob steigt von einer Terrasse zur nächsten, eine Treppe um die andere hinauf. Da steht auf der letzten Stufe der obersten Treppe ein mächtiger Schweizer Gardist und versperrt ihm den Weg. Der Kerl ist groß wie ein Pferd und breit wie eine Haustür, und sein Gesicht ist krebsrot und seine Kaumuskeln zucken, während er mit geblähten Nüstern aus grünen Augen böse auf Jakob hinunterschaut.

— Halt!, brüllt er sehr dienstlich, die Muskete bei Fuß. Durchgang verboten.

Aha, ein Kettenhund, denkt Jakob und weicht, während er weiter treppauf steigt, ein paar Schritte zur Seite hin aus; Kettenhunde darf man nicht frontal angehen, das weiß Jakob, man muss sich seitlich zu ihnen gesellen und ihnen das Gefühl geben, dass man zum selben Rudel gehöre wie sie.

— Entschuldige bitte die Störung, Kamerad, sagt Jakob und zieht seinen Marschbefehl aus der Tasche. Ich müsste hier mal kurz …

— Ich bin nicht dein Kamerad, sagt der Gardist und präsentiert seine Muskete.

Eindeutig ein Kettenhund, denkt Jakob, bös, bissig und spießig geworden vom langen Liegen an der Kette.

— Hör zu, Kamerad …

— Scher dich weg, sonst schieße ich dich nieder.

— Schau, hier ist mein Marschbefehl, ich müsste hier wirklich mal kurz …

— Interessiert mich nicht. Hier kannst du nicht durch.

— Wieso nicht?

— Weil hier die Gärten des Königs beginnen. Und du nicht der König bist.

— Da hast du natürlich recht, Kamerad. Mein Name ist Jakob Boschung – oder Jacques Bosson, wie die Franzosen sagen. Schau her, hier steht's. Dies ist mein Marschbefehl.

Unterdessen ist Jakob auf der obersten Treppenstufe angelangt. Er bleibt stehen, nimmt Haltung an und schaut wie der Soldat über die Treppen hinunter in den Park, als würde auch er den Zugang zu den königlichen Gärten bewachen.

— Du sollst dich fortscheren, habe ich gesagt. Und nimm deine Maske ab!

— Du musst schon entschuldigen, sagt Jakob. Aber hier liegt, wie soll ich sagen, ein bisschen was in der Luft.

— Ach das, sagt der Gardist und entspannt sich ein wenig. Man gewöhnt sich dran.

— Die Herrschaften scheißen halt, was?

Der Gardist prustet kurz, dann fängt er sich wieder.

— Bist wohl neu hier?

— Ziemlich.

— Schweizer?

— Wieso?

— Dein Akzent. Und die Stiefel.

— Regiment Waldner, Kompanie Von der Weid.

— Nie gehört. Kommt Ihr zur Ablösung?

— Ich bin allein hier, muss nach Montreuil.

— Zu der Verrückten?

— Zu Prinzessin Elisabeth.

— Die spinnt komplett. Wirst schon sehen. Sind alle völlig hinüber dort drüben.

— Hier nicht?

— Hier auch. Vollkommen durchgeknallt, die ganze Bagage. Komplette Kindsköpfe. Na ja. Geht sowieso bald alles den Bach runter.

— Wieso?

— Kracht alles zusammen hier. Die haben kein Geld mehr. Leben Tag für Tag auf Pump. Sind alle pleite. Bankrott. Abgebrannt. Erledigt.

— Sogar der König?

— Der sowieso.

— Aber der Sold kommt noch?

— Das schon.

— Dann ist ja gut.

— Am Tag, an dem unser Geld nicht mehr kommt, sind wir alle weg. Und wenn wir nicht mehr da sind, ziehen hier die Wölfe und Bären ein.

— Ich werde jetzt mal gehen. Wo liegt denn dieses Montreuil?

Der Gardist deutet mit dem Daumen über die Schulter.

— Gleich hinter dem Schloss. Aber hier darf ich dich nicht durchlassen, wie gesagt. Du gehst außenherum, durch den Wald. Erst wieder die Treppen hinunter, dann links und nochmal links, bis zur Pariser Allee. Das Haus der Verrückten liegt auf der linken Straßenseite, wirst schon sehen. Grüß den Wachmann am Eingangstor, er ist ein Cousin von mir. Sein Name ist Victor. Oder Pierre.

— Wie jetzt?

— Was?

— Victor oder Pierre?

— Na, eins von beiden. Victor und Pierre sind Zwillinge, beide Cousins von mir. Sie wechseln sich am Eingangstor ab.

Also läuft Jakob wie befohlen von Terrasse zu Terrasse die Treppen hinunter, ein zweites Mal vorbei an den Statuen und Wasserspeiern, vorbei an den verschlammten Kanälen und den trockenen Brunnen, dann quer durch den Wald an urinierenden, defäkierenden und kopulierenden Hochadligen vorbei, und schließlich hinaus auf die Pariser Allee, wo einen Steinwurf entfernt vor einem Eingangsportal ein Wachmann mit blankem Säbel steht.

Jakob betrachtet den Mann. Er sieht seinem Cousin zum Verwechseln ähnlich. Die gleiche Pferdestatur, der gleiche blonde Schnurrbart, die gleiche krebsrote Gesichtshaut und die gleichen grünen Augen.

— Grüß dich, Victor!, sagt Jakob versuchsweise.

— Mein Name ist Pierre.

— Entschuldigung. Ich war vorhin bei …

— Ich weiß Bescheid.

— Ich muss zur Prinzessin.

— Ich weiß. Die ist aber schon weg. Hat befohlen, dass ich dir dein Quartier zeige, falls du auftauchen solltest.

— Und jetzt bin ich da.

— Komm mit. Bleib immer drei Schritte hinter mir. Und halt die Klappe. Mein Cousin sagt, du redest zu viel.

— Verstanden.

Jakob geht hinter dem Wachmann her die Auffahrt hoch. Das Kopfsteinpflaster glänzt, nirgendwo liegt Dung oder Kot. In der Luft liegt keinerlei Kadaver- oder Jauchegeruch, dafür der Duft von weißem Flieder, warmen Pferdeleibern und Kernseife. In den Ritzen zwischen den Pflastersteinen wächst kein Moos und kein Unkraut, sondern gar nichts, und das Summen der Bienen in den blühenden Obstbäumen wird durch keinerlei Geblök oder Gebell oder Gebrüll unterbrochen, auch durch kein Hämmern, Sägen, Fluchen oder anderweitigen Lärm. Weiß getünchtes Gemäuer leuchtet golden im Licht der untergehenden Sonne, angenehm strahlt die Wärme des Tages von kunstvoll nachgedunkeltem Gebälk und heimeligen Schindeldächern ab.

Über den Hof huscht ein Schwarm Mägde mit artig geflochtenen Zöpfen und bunten Röcken aus zweifarbigem Barchent; sie tragen Weidenkörbe in den Armbeugen und lächeln Jakob zu. Im Hintergrund plätschert der kristallklare Wasserstrahl der Viehtränke.

Das Vieh ist wohlgenährt und gesund, soweit Jakob das im Vorbeigehen beurteilen kann. Im Koben grunzen zufriedene Schweine, auf der Weide machen zwei Fohlen ungelenke

Bocksprünge, auf dem Miststock kräht ein Hahn und vor dem Wohnhaus tollen getigerte Kätzchen Sommervögeln hinterher. Der Rinderstall ist hell und sauber, gut durchlüftet und wohnlicher als die meisten Soldatenunterkünfte, die Jakob in acht Jahren Militärdienst gesehen hat. Im Stall steht ein Dutzend schöne Freiburger Milchkühe. Sie haben gerade Rücken, sind gut im Fleisch und haben klare Augen, nur die Euter sind bei einigen vielleicht etwas trocken; Jakob wird sie gleich morgen früh mit Schweineschmalz einreiben.

— Du, Pierre, sagt Jakob, wo sind denn die Weiden für die Rinder?

— Da vorn. Und dort hinten.

— Die zwei kleinen Matten? Und sonst?

— Nichts mehr. Halt die Klappe.

— Das reicht nicht, sagt Jakob. Da verhungern mir die Kühe ja.

— Mach dir keine Sorgen. Du kannst jederzeit Futter zukaufen.

— Von wem?

— Na, von einem Bauern. Von einem richtigen Bauern, meine ich. Und jetzt halt die Klappe.

Der Wachmann geht den Kartoffelacker entlang, Jakob immer hinter ihm her in drei Schritten Abstand. Am Ende des Ackers folgen sie dem Waldrand am Fuß des Hügels, überqueren den Bach auf einer japanischen Bogenbrücke und gelangen zu Jakobs neuem Heim.

— Jetzt leck mich doch!, ruft er bei dessen Anblick aus, was sonst nicht seine Art ist, und dann gleich nochmal: Jetzt leck mich doch alles am Arsch!

Wachmann Pierre lacht und klopft ihm auf die Schulter,

dann macht er auf dem Absatz kehrt und geht zurück auf seinen Posten.

Was Jakob sieht, ist eine Blockhütte aus Rundhölzern. Auf den ersten Blick möchte man sie für eine in vielen Jahrhunderten windschief gewordene, in Ehren ergraute Melkhütte halten, wie sie in den Alpen so zahlreich in der Landschaft stehen; aber sie duftet allzu herrlich nach frisch entrindeter Lärche, als dass sie wirklich alt sein könnte, und in den Fugen zwischen den Baumstämmen, die jemand mit Asche grau eingefärbt hat, blitzt verräterisch das Goldgelb des neuen Holzes hervor, und der Vorplatz ist übersät mit frischen Hobel- und Sägespänen. Zwar hängt die Eingangstür schief in den Angeln und macht einen durchaus wurmstichigen Eindruck, aber die Wurmlöcher rühren nicht von Würmern, sondern vom feinsten Bohrer des Zimmermanns her, und das Fenster neben der Tür ist zwar erblindet, aber nicht vom schicksalhaften Staub der Jahrhunderte, sondern vom absichtsvollen Schmirgel des Schreiners.

Im Innern gibt es eine offene Feuerstelle mit Kamin und Kupferkessel, dazu ein paar Rührwerkzeuge, Töpfe und Siebe für die Käseherstellung sowie ein Regal für die fertigen Käselaibe. In der Mitte der Hütte steht ein roh gezimmerter Tisch mit zwei Stühlen, darüber eine Öllampe; und alles ist künstlich eingerußt.

In der Ecke wartet eine Schlafstatt, darauf liegt griffbereit – jetzt leck mich doch gleich nochmal am Arsch! – eine nagelneue Appenzeller Sennentracht. Ausgerechnet Appenzell, verflucht nochmal. Eine leuchtend gelbe Hose und ein weißes Hemd, dazu eine scharlachrote Weste mit Messing-

knöpfen, ein breitrandiger schwarzer Hut und weiße Strick-
strümpfe mit seitlichem Zopfmuster, und unter dem Bett stehen schwarze Lackschuhe mit einer Messingschnalle oben-
drauf. Niemals wird Jakob diesen Klimbim anziehen, mit
dem Glitzerkram sähe er aus wie ein heiratswütiges Mädchen auf der Kirchweih.

Jakob rollt die Tracht zu einem Bündel und legt sie ins Regal. Dann legt er sich versuchsweise auf den Strohsack, der
sehr bequem ist und prall gefüllt mit neuem, nach Lavendel
duftendem Stroh.

Draußen senkt sich die Nacht auf Montreuil. Jakob spürt,
dass er eine Nacht und zwei Tage nicht geschlafen hat. Er
dreht den Docht der Öllampe herunter und legt sich hin,
breitet die Wolldecke über sich aus und will gerade hinübergleiten in die andere Welt, als durchs offene Fenster ein
Gesang an sein Ohr dringt – der jubilierende, wehklagende,
frohlockende Gesang einer engelsgleichen, überirdisch rei-
nen und gleichzeitig herrlich satten, kraftvollen Stimme, wie
Jakob sie noch nie gehört hat.

Was für ein Wesen mag das sein, dem dieser göttergleiche
Sopran gehört? Eine Frau ist es nicht, kein Weib auf Erden
hat eine derart trompetenstarke Stimme; ein Mann kann es
auch nicht sein, keiner kommt derart rein, stark und mühe-
los in so hohe Lagen. Und ein Kind erst recht nicht, ein solches Volumen kann sich nur in einer großen Brust entfalten.

Jakob geht zur Tür und sieht hinaus in die mondlos schwarze Nacht. Der trompetengleiche Gesang ist, wenn er auch
aus einiger Entfernung von jenseits des Kartoffelackers zu
kommen scheint, laut und deutlich zu hören, voll untröstli-

cher Sehnsucht und doch mutig und lebensfroh in der allumfassenden Dunkelheit. Jakob lauscht und erschauert in
heimatlichem Schrecken. Es ist ein deutsches Lied, das die
Stimme da singt.

> — *Ich folge dir gleichfalls*
> *Mit freudigen Schritten*
> *Und lasse dich nicht,*
> *Mein Leben, mein Licht.*
> *Befördre den Lauf*
> *Und höre nicht auf,*
> *Selbst an mir zu ziehen,*
> *Zu schieben, zu bitten …*

Jakob lehnt sich an den Türpfosten und lauscht der über-
irdischen Stimme, die in vielen Wiederholungen, herrlichen
Koloraturen und lang gehaltenen Obertönen ihr Lied tri-
umphal zu Ende singt. Dann wird es still in der Nacht, und
dann endlich geschieht es, weil die Musik die Barrikaden
seiner Seele geschleift hat, dass Jakob niedersinkt und erstmals seit dem Abschied von Marie seinen Tränen freien Lauf
lässt.

Als Elisabeth am Morgen nach Montreuil kommt, ist Jakob
mit den Kühen schon auf der Weide. Er hat sie im ersten Tageslicht gemolken und auf die Weide geführt, dann hat er
den Stall ausgemistet, unter der japanischen Bogenbrücke
ein Bad genommen und sich mit seinem Jagdmesser rasiert.
Jetzt liegen die Kühe weit verstreut im Gras und käuen wieder, und Jakob sitzt mitten unter ihnen auf einer Wolldecke.

Die Leitkuh liegt neben ihm wie ein Hund. Er krault ihr das krause Stirnhaar.

Neugierig mustert Elisabeth im Näherkommen ihren neuen Hirten, neugierig mustert dieser die Prinzessin.

Jakob ist nun auch schon einunddreißig Jahre alt und hat einiges gesehen im Leben, aber der Auftritt einer Bourbonenprinzessin, wie sie da an jenem Frühlingsmorgen mit ihrem rosa Sonnenschirmchen auf ihn zukommt, ist ihm doch etwas Neues. Alles an ihr ist strahlend weiß und rund und rosa von der Stirn über die Wangen und die geschürzten Lippen bis zu ihrem blütenweißen Landmädchenhemd; man möchte meinen, sie werde inwendig beleuchtet von einer geheimnisvollen Lichtquelle. Ihr blondes Haar quillt füllig mit genau berechneter Nachlässigkeit unter einem mit Wachsfrüchten geschmückten Strohhut hervor, und der rote Bändel, der ihr Dekolletee verschnüren sollte, hat sich wie aus Versehen gelöst. Auch scheint Elisabeth nicht eigentlich zu gehen, also nicht wie ein Erdenmensch einen Fuß vor den anderen zu setzen, sondern vielmehr zu rollen oder zu gleiten, vielleicht sogar zu schweben – ihre Fortbewegung ist derart rucklos und fließend, als hätte sie unter ihrem bodenlangen Reifrock aus golddurchwirkter weißer Seide nicht zwei Beine und ein Paar Füße, sondern eine Art Fahrgestell mit pneumatisch gepolsterten Rädern. Oder ein Luftkissen.

Jakob weiß, dass die Etikette von ihm jetzt verlangen würde, dass er aufspringt, sich die Mütze vom Kopf reißt und sich tief verbeugt. Aber er weiß auch, dass die Prinzessin einen Hirten bestellt hat und keinen Höfling. Also bleibt er sitzen.

Aber als sie dann vor ihm steht und strahlend auf ihn

niedersieht, rappelt er sich doch auf und nimmt die Mütze vom Kopf, denn das würde er bei einem Greyerzer Mädchen schließlich auch tun. Und wie er aufsteht, steht die Leitkuh neben ihm auch auf, erst mit den Vorderbeinen und dann mit den Hinterläufen, worauf sämtliche elf anderen Kühe ebenfalls aufstehen. Die Prinzessin ist begeistert von dem Schauspiel.

— Willkommen auf Montreuil!, sagt sie. Wie schön, dass Er es einrichten konnte.

— Wie hätte ich Ihre Einladung ausschlagen können, Hoheit.

— Das klingt beinahe, als hätte Er lieber Nein gesagt.

— Ich bin Soldat, Hoheit. Unsereiner sagt Ja.

— Er hätte aber Nein sagen können.

— Jawohl, Hoheit. Dann wäre ich nach Venedig in Galeerenhaft gefahren.

— Oh. Das hätte mir leidgetan.

— Sie würden es nie erfahren haben. Aber es ist ja nicht geschehen.

— Auf Montreuil gibt es keine Galeeren, das kann ich Ihm versichern.

— Das freut mich zu hören, Hoheit.

— Dann will ich hoffen, dass es Ihm hier gefallen wird. Wie ich sehe, hat Er schon Bekanntschaft mit den Kühen geschlossen. Sie scheinen Ihm ja aufs Wort zu gehorchen.

— Die Kühe gehorchen der Leitkuh.

— Und die Leitkuh gehorcht Ihm.

— Ich gehorche ihr auch. Wir haben uns angefreundet.

— Geben die Kühe denn ordentlich Milch?

— Vier Viertel heute Morgen, aber das wird noch mehr werden. Die Milch ist süß und fett. Möchten Hoheit ein Glas kosten?

— Gern.

Jakob gießt Milch aus einem Krug in ein Glas, beides hat er in kluger Voraussicht bereitgelegt. Die Prinzessin trinkt und mustert Jakob über den Rand des Glases hinweg. Er wendet seinen Blick ab und sieht in die Ferne.

— Ich habe mir gedacht, dass ich heute Abend Sahne abschöpfe und Butter stampfe.

— Das wird nicht nötig sein, sagt die Prinzessin. Dafür sind die bretonischen Milchmädchen da.

— Ich verstehe, sagt Jakob. Dann mache ich Käse.

— Darum kümmert sich unser Normanne. Das kann er immerhin.

— Was soll ich dann machen?

— Er ist hier der Hirte. Seine Aufgabe auf Montreuil ist es, meine Kühe glücklich zu machen.

— Das ist doch keine Arbeit.

— Aber eine Gabe, sagt die Prinzessin.

Nun wäre die Reihe wiederum an Jakob, etwas zu sagen, aber er schweigt, als wäre nun alles gesagt. Die Prinzessin nippt an ihrem Milchglas und mustert verwundert den so plötzlich Verstummten, der selbstvergessen die Leitkuh tätschelt. Schweigen macht sich breit – ein Schweigen, das umso schwieriger zu brechen sein wird, je länger es dauert. Die Prinzessin zwirbelt unruhig ihren Sonnenschirm. Schon befürchtet sie, dass auch dieser Hirtenbursche, den sie doch eigens aus den Bergen hat kommen lassen, ihr die kalte Schulter zeigen wird wie all die Soldaten, Bauern und Schifferleute vor ihm.

Jakob macht das Schweigen nichts aus, er hat es in vielen einsamen Wintern auf der Alp gelernt. Als aufmerksamer Hirte hat er aber ebenfalls gelernt, die Empfindungen anderer Warmblüter zu erfühlen. Er merkt, dass die Prinzessin in kleinen Stößen durch die Nase atmet, und dass sich ihr Hals versteift und sich über ihrer Nasenwurzel zwei vertikale Falten bilden. Er spürt ihre Scham und ihren Ärger, die gleich in Zorn umschlagen werden. Um das zu vermeiden, deutet Jakob auf die Wolldecke im Gras.

— Möchten Hoheit sich einen Augenblick ausruhen?

Freudig nimmt Elisabeth die Einladung an. Sie rafft ihre Röcke und lässt sich auf die Decke fallen. Und da Jakob sieht, dass sie sich nicht mitten auf die Decke, sondern an deren rechten Rand gesetzt und die linke Hälfte freigelassen hat, nimmt er die unausgesprochene Einladung an und setzt sich einfach neben sie, als wäre Élisabeth Philippine Marie Hélène de Bourbon weder die Schwester des Königs von Frankreich noch Enkelin des Königs von Polen, weder Patenkind des Herzogs von Parma noch die Schwester des Schwiegersohns der Kaiserin von Österreich oder Schwägerin des Königs von Sardinien, sondern einfach ein Bauernmädchen aus Greyerz, das er seit Kindheitstagen kennt.

Schweigend sitzen Elisabeth und Jakob zwischen den dampfenden Kuhleibern auf der Wolldecke. Sie zupft Grashalme aus und zerpflückt sie zwischen den Fingern, er wirft Steinchen ins Leere und tätschelt die Leitkuh, die sich wieder neben ihn gelegt hat. Das Schweigen macht Elisabeth jetzt nichts mehr aus, im Gegenteil. Sie ist unsagbar glücklich.«

»Das droht ja wieder in schlimmen Kitsch abzugleiten«, sagte Tina. »Können wir kurz Pause machen?«

»Aber bitte.«

»Tut mir leid, wenn ich das zarte Glück auf der Kuhweide störe.«

»Gefällt's dir nicht?«

»Ich befürchte das Schlimmste.«

»Wart's ab.«

»Ich müsste mal kurz raus.«

»Wieso? Ach so. Darf ich etwas sagen?«

»Ja.«

»Draußen liegt ein Meter Neuschnee. Du wirst dich mit dem Hintern in den Schnee setzen.«

»Musst du nicht raus?«

»Eigentlich nicht.«

»Du musst nie raus.«

»Erst, wenn wir zu Hause sind.«

»Selbst wenn du rausmüsstest, wär's kein Problem für dich. Die Natur ist ungerecht.«

»Dafür kann ich nichts.«

»Ich sage ja nichts.«

»Andrerseits sind wir doch immerhin Kulturwesen«, sagte Max. »Warte mal kurz.«

Er schob die Beifahrertür auf, watete durch den tief verschneiten Straßengraben hinter den Toyota und stampfte ein Plätzchen von etwa einem Quadratmeter nieder. Der Schnee war nass und kompakt, die Arbeit rasch erledigt. Dann bahnte er auf der anderen Seite des Wagens mit kleinen Schritten einen Trampelpfad zur Fahrertür.

»Bitte sehr.«

Tina stieg aus und verschwand hinter dem Toyota. Max ließ sich in den Fahrersitz fallen, zog die Tür zu und rutschte hinüber auf den Beifahrersitz. Drei Minuten später stieg Tina wieder ein.

»Danke, mein Lieber. Dafür hast du was gut bei mir, würde ich sagen.«

»Jetzt gleich? Hier?«

»Wenn du magst.«

»Ich staune doch immer wieder.«

»Worüber?«

»Wie du weißt, hat es mich mehrere Jahre meines Lebens gekostet, bis dir Sex so richtig Spaß zu machen begann.«

»Das ist nicht wahr.«

»So richtig Spaß, meine ich.«

»Na ja«, sagte sie. »Ich musste halt erst sicher sein, dass du das wirklich gut kannst. Wie spät ist es jetzt?«

»Halb sechs. Soll ich weitererzählen?«

»Ich befürchte das Schlimmste, wie gesagt.«

»Soll ich?«

»Bitte.«

»Elisabeth und Jakob sitzen also auf der Wolldecke zwischen den Rindern und sehen zu, wie die Zeit vergeht. Wolken schieben sich vor die Sonne und geben sie wieder frei. Elisabeth fragt Jakob fürsorglich, ob er schon gegessen habe. Er nickt und fragt sie fürsorglich, ob ihr nicht kalt sei. Ein Mückenschwarm tanzt im Sonnenlicht. Am entgegengesetzten Ende der Weide setzt sich ein Mäusebussard auf den Bretterzaun. Nach einer Weile fliegt er wieder weg.

Dann ist es für Elisabeth Zeit zu gehen. Die Waisenkinder aus der Stadt werden bald zum Milchtrinken kommen, und danach wird sie Kartoffeln und Hühnereier an die Armen verteilen. Sie fragt Jakob, ob er mitkommen wolle. Er sagt, er bleibe besser bei den Kühen. Dann bis morgen, sagt sie. Bis morgen, sagt er.

Bald ist es Zeit fürs abendliche Melken, Jakob führt die Herde zurück in den Stall. Er melkt eine Kuh um die andere, putzt allen die Klauen und striegelt ihnen das Fell, dann streut er frisches Stroh aus und füllt den Futtertrog mit Heu für die Nacht. Zwei Kühe wollen nicht recht saufen, die wird Jakob sich am folgenden Morgen genauer ansehen. Und ein Kalb lahmt ein wenig, weil die Klaue hinten rechts entzündet ist.

Die Nacht bricht herein, kühl streicht der Wind durch die Bäume auf dem Hügel. Da hebt aus der Ferne wieder dieser überirdische Gesang an, metallisch kraftvoll und doch lebendig zart.

> — *Frondi tenere e belle*
> *del mio platano amato,*
> *per voi risplenda il fato* …

Diesmal wartet Jakob nicht das Ende der Arie ab, sondern rennt los in die Richtung, aus der die Stimme kommt, über den Kartoffelacker und über die Kuhweide zum Waldrand und über den Hügel bis zur nördlichen Umfassungsmauer. Er klettert hinauf, springt auf der anderen Seite hinunter und steht vor einem dunklen Gebäude, in dessen erleuchteter Eingangstür sich die Umrisse eines Grizzlybären abzeichnen, der sich sachte wiegt im Takt der schmachtenden Melodie; ein gewaltiger Brustkorb auf erstaunlich kurzen Beinen, über hängenden Schultern ein unglaublich kleiner, sich nach

oben stark verjüngender Kopf. Jakob erstarrt. Diese engels-
gleiche, hohe und süße Stimme kommt aus dem Kopf des
menschlichen Grizzlys. Es ist der Grizzly, der da mit weit aus-
gebreiteten Armen so wunderbar singt.

> — ... *Ombra mai fu*
> *di vegetabile,*
> *cara ed amabile,*
> *soave più.*

Dann ist das Lied zu Ende. Stille macht sich breit, zaghaft setzen die Geräusche der Nacht wieder ein; Geraschel im Unterholz, ein einsames Krächzen irgendwo. Der Grizzly steht reglos im erleuchteten Eingang mit hängenden Armen, als würde er dem Nachhall seiner Stimme lauschen. Dann macht er
drei tappende Schritte zur Seite, zieht eine Flasche und zwei
Gläser aus dem Rosengebüsch und stellt sie auf einen mar-
mornen Gartentisch, der vor den Rosen auf dem Kiesplatz
steht. Ächzend lässt er sich auf einem Stuhl nieder, entkorkt
die Flasche und schenkt eine bernsteinfarbene Flüssigkeit
ein.

Im Schutz der Dunkelheit betrachtet Jakob den Grizzly,
der nun vom Licht des Eingangs seitlich beleuchtet wird.
Die kurzen, stämmigen Beine hat er ausgestreckt, die Vor-
dertatzen ruhen in seinem Schoß. Auf dem mächtigen Leib
thront ein von weißen Zapfenlocken umrahmtes, rundes
kleines Kindergesicht, aufgedunsen und bleich, als hätte
es lange kein Sonnenlicht mehr gesehen, dabei engelhaft
freundlich und unschuldig, faltenfrei, alterslos und des
Lebens zwar nicht überdrüssig, aber doch augenscheinlich

müde. Lächelnd blickt er mit zur Seite geneigtem Köpfchen in die Nacht hinaus, beinahe scheint es, als könne er Jakob sehen. Nun hebt er auch noch eine Tatze und deutet mit schwungvoller Geste einladend auf den freien Stuhl neben sich, und dazu nickt er derart eindeutig und unmissverständlich in Jakobs Richtung, dass dieser nicht anders kann, als sich vorsichtig aus der Dunkelheit zu lösen.

— Komm nur her, mein Kleiner, ruft der Grizzly mit seinem engelsgleichen Sopran, der in so unfassbarem Kontrast zu seinem massigen Leib steht. Komm zu mir, hab keine Angst.

Das kann nicht sein, denkt Jakob, während er über den kurzgeschnittenen Rasen auf das friedfertige Ungetüm zugeht, ein solches Wesen gibt es nicht. Als Erstes wird Jakob sich für sein nächtliches Eindringen entschuldigen müssen, so viel steht fest. Dann wird er seine lauteren Absichten beteuern, um Nachsicht für seine ungehörige Neugier bitten und um Verständnis dafür, dass er den Verlockungen dieser göttlichen Stimme erlag. Aber als er dann den Rasen überquert hat und am Marmortisch vor diesem vorsintflutlichen Wesen zum Stehen kommt, fehlen ihm die Worte.

— Setz dich zu mir, sagt der Grizzly. Da, so ist es gut. Trink ein Glas mit deinem alten Nachbarn, schenk ihm ein wenig Trost in seiner Einsamkeit. Hier, nimm. Es ist ein Calvados. Zwölf Jahre im Eichenfass, nicht übel. Auf dein Wohl.

— Zum Wohl. Ich bin ...

— Ich weiß, wer du bist. Ich habe dich gesehen auf Montreuil, mit der Prinzessin auf der Wolldecke. Wundert dich das? Du bist nicht der Einzige, der sich dafür interessiert, was jenseits der Mauer vor sich geht. Ich kann zwar nicht so flink klettern wie du, aber dafür bin ich groß.

— Allerdings.

— Josephini mein Name, letzter verbliebener Sopranist an der Königlichen Oper.

— Jacques Bosson, Kuhhirte im Dienste Madame Elisabeths. Sie leben allein hier?

— Leider. Es gab Zeiten, da waren wir zu viert oder zu fünft in diesem Haus, eine Weile gar ein ganzes Dutzend ... Farinelli, Caffarelli, Senesino, Marchesi, Santoni, die berühmtesten Stimmen der Welt ... Was haben wir gesungen damals! Solche Opern wird die Welt nie wieder hören.

— Und jetzt?

— Sind alle fort. Manche meiner Freunde sind gestorben und andere abgereist, die meisten heim nach Italien. Es wird ja kaum mehr musiziert auf Versailles, der König hat kein Geld mehr. Nur ich bin noch hier, der letzte Kastrat im Haus der Kastraten.

— Oh, sagt Jakob. Waren alle Ihre Freunde so ... groß?

Der Grizzly lacht ein glockenklares Lachen.

— Gewiss, mein Kleiner, wir sind alle so. Kleine Ursache, große Wirkung, könnte man sagen, bei uns fließen die Säfte anders. Unsereiner ist ein lebendiges Musikinstrument. Mein Leib ist Klangkörper für meine Stimme, zu etwas anderem taugt er nicht. Das Singen ist mein Leben, und beides ist nun fast vorbei. Jeden Morgen singe ich noch in der Frühmesse für den König und abends mein einsames Lied in die Nacht hinaus, das ist alles, was mir geblieben ist. Ach, Italien! Alle haben mich verlassen. Nur ich allein bin noch hier und kann nicht weg.

— Warum nicht?

— Ich habe hier Wohnrecht und Leibrente auf Lebenszeit. Wo sonst würde ein alter Wallach wie ich ein Obdach bekommen? In meinem Dorf in den Abruzzen kennt mich längst keiner mehr, und überall sonst auf Erden wäre ich als mittelloser, unnützer Fremder in höchstem Grade unwillkommen.

— Aber die Rente?

— Die wird mir nur in Versailles ausgezahlt. Die Bourbonen haben leider nicht die Freundlichkeit, mir das Geld nach Italien hinterherzutragen. Darum muss ich hier bleiben, solange ich lebe.

— Verstehe.

— Und du, mein Kleiner? Wie lange bleibst du?

— Keine Ahnung.

— Nur eine Saison oder fest?

— Keine Ahnung, wie gesagt. Ich bin ja nicht freiwillig hier.

— Ich rate zu einer Festanstellung, temporäre Engagements bringen finanziell nichts ein. Noch besser ist natürlich eine Leibrente. Andererseits haben sie dich damit an den Eiern.

Und dann lacht der Grizzly hell und glockenklar, als hätte er gerade einen wirklich guten Scherz gemacht.

Das Gelächter hallt Jakob noch lange in den Ohren, heiß brennt ihm der Gedanke in der Seele, dass die Prinzessin ihn an den Eiern hat. Zwar hat er keine Leibrente, aber er ist doch zum Dienst verpflichtet wie ein Soldat; falls er davonliefe, würde man ihn jagen wie einen Deserteur. Und man würde ihn kriegen, früher oder später, und hart bestrafen.

Mit den Kühen, die ihm Elisabeth anvertraut hat, kommt

er bestens zurecht. Die ersten Tage verbringt er damit, sie alle ausgiebig zu streicheln und zu striegeln und ihnen in die Ohren zu brummen, damit sie sein deutsch-französisches Kauderwelsch verstehen lernen, das er eigens für den Umgang mit Kühen entwickelt hat. Ihre kleinen Unpässlichkeiten hat er rasch kuriert. Die Milchleistung der Herde verdoppelt sich in wenigen Wochen.

Jede Kuh und jedes Kalb bekommt einen Mädchennamen, nur die Stierkälber bekommen keinen. Stiere haben keine Namen, das ist auf allen Bauernhöfen überall auf der Welt so. Da es auf jedem Hof vernünftigerweise nur einen Stier gibt, ist jeder einzigartig und braucht kein weiteres Unterscheidungsmerkmal. Der Stier ist einfach der Stier.

Wenn Jakob morgens nach dem Melken die Stalltür öffnet, tritt als Erstes die Leitkuh ins Freie, gefolgt von der Stellvertreterin der Leitkuh und der Stellvertreterin der Stellvertreterin; den Abschluss bilden die Kälber. Unter Kühen gibt es weder Gleichheit noch Schwesterlichkeit, sondern eine strenge Hierarchie. Wenn eine Kuh sich an der Stalltür vordrängt und einen Rang einnimmt, der ihr nicht gebührt, wird sie hernach auf der Weide von den anderen zur Strafe geschubst, gebissen und mit den Hörnern gepikst.

Während die Kühe in Einerkolonne über den Hof trotten, drängen sich die anderen Tiere, die noch in ihren Ställen eingesperrt sind, blökend, meckernd, gackernd und schnatternd an die Türen. Jakob geht hin und sperrt sämtliche Türen auf, worauf sich alle Tiere in die Karawane einreihen und gemeinsam zur Weide stapfen, trippeln und watscheln, die Schweine hinter den Kühen, dann die Ziegen und die

Schafe und zuletzt in flatterndem Durcheinander die Hühner, Enten und Gänse.

Auf der Weide äsen die Paarhufer einträchtig Seite an Seite, später liegen sie zum Dösen und Wiederkäuen in bunten Haufen beieinander, während das Federvieh zwischen ihnen nach Würmern und Krabbelviechern pickt; denn es ist ja nicht wahr, dass Tiere sich voreinander fürchten, sie interessieren sich im Gegenteil füreinander und leben friedlich Seite an Seite, solange die Natur sie nicht zu Räubern und Beute füreinander bestimmt hat, was bei Huftieren und Geflügel bekanntlich nicht der Fall ist.

Sind die Tiere erst mal auf der Weide, hat Jakob nicht mehr viel zu tun. In den Bergen war das Hüten eine anstrengende Arbeit, jeden Augenblick konnte ein Kalb zu Tode stürzen oder von einem Wolf angegriffen werden. In der Umgebung von Versailles aber ist der Wolf seit zweihundert Jahren ausgestorben, und die Kuhweiden sind frei von Abgründen und zudem mit Bretterzäunen eingefasst.

Montreuil erwacht. Im Herrenhaus werden Fenster aufgestoßen, in der Scheune werden Sensen gedengelt. Eine Magd holt Eier aus dem Hühnerstall. Hufgetrappel auf der Allee, Prinzessin Elisabeth kommt auf einem hübschen, kleinen Araberschimmel angeritten. Sie eilt ins Haus, kommt kurz darauf mit den Milchmädchen und Dienstmägden wieder heraus und geht für ein kurzes Morgengebet in die Kapelle. Später besucht sie die Krankenstation und inspiziert die Stallungen, und danach wird sie bei Jakob auf der Weide vorbeischauen.

Er liegt faul in der Morgensonne und erwartet sie. Neben ihm steht ein Krug Milch, zum Kühlen eingewickelt in ein feuchtes Tuch; die Prinzessin hat sich angewöhnt, jeden Morgen ein Glas frische Sahnemilch zu trinken, wenn sie neben ihm auf der Wolldecke sitzt.

In den ersten Tagen genießt Jakob das Nichtstun, aber bald wird ihm die Zeit lang. Er hat Sehnsucht nach Marie. Er denkt sich Briefe aus, die er ihr schreiben würde, wenn er schreiben könnte. Er schreibt den Brief um und um, wieder und wieder, und dann unternimmt er tausend Mal in Gedanken den Fußmarsch zurück ins Greyerzerland, durchschreitet jede Wiese, jedes Waldstück und jeden Hügel, die er im Herkommen durchmessen hat. Seine Fußspuren in der Landschaft sind noch frisch und unverwischt, hell und klar leuchtet der Heimweg nach Greyerz auf der Landkarte seiner Seele. Der Schmerz darüber, dass er diesen Heimweg nicht gehen kann, weil die Prinzessin ihn an den Eiern hat, lässt mit der Zeit nicht nach, sondern wird immer ärger.

Um sich die Zeit zu vertreiben, baut Jakob auf der Weide einen kleinen Unterstand aus Brettern und Kanthölzern, welche die Bauarbeiter hinter dem Heuschober zurückgelassen haben. Die Kühe schauen ihm wiederkäuend zu. Als er fertig ist, setzt er sich unters Dach und betrachtet den Flug der Wolken am Horizont. Es fängt an zu regnen. Die Leitkuh steht draußen auf der Weide und sieht Jakob nachdenklich an. Sie wird nass. Nach einer Weile trottet sie herbei und bleibt vor Jakob stehen. Der Unterstand ist zu klein für die Kuh, das ist auch für ihren Rinderverstand unmittelbar einsichtig. Trotzdem macht sie einen Schritt vorwärts, dann noch einen und noch einen, bis sie mit den Hörnern gegen die Rückwand stößt, und legt sich hin. Die vordere Hälfte der Leitkuh liegt jetzt neben Jakob im Trockenen, die hintere bleibt draußen. Jakob krault ihr das Schopfhaar. Die anderen Kühe stehen im Regen und glotzen.

Von jenem Tag an legt sich die Leitkuh oft in den Unterstand, nicht nur bei Regen, sondern auch an heißen Sommertagen. Der Platz gehört ihr, keine andere Kuh darf ihn einnehmen. Nur wenn die Prinzessin zu Besuch kommt, muss sie ihn freigeben.

Jeden Abend nach Sonnenuntergang geht Jakob zum Abendessen ins Gesindehaus. Der Speisesaal ist erstaunlich hell erleuchtet von teuren weißen Kerzen in erstaunlich großer Zahl; später wird Jakob erfahren, dass es halb heruntergebrannte Stummel aus den königlichen Kronleuchtern sind, die Elisabeth täglich in einem Eimer herüberbringen lässt.

Die Tafel ist blitzsauber und reichlich gedeckt mit Kartoffeln, Schweinefleisch und Dörrbohnen. Die bretonischen Milchmädchen sitzen mit den provenzalischen Kammerzofen auf der einen Seite des Tischs, der normannische Bauer mit Jakob und den Knechten auf der anderen Seite. Die Mädchen sind munter und haben rosa Wangen, der Bauer ist maulfaul und hat knotige Hände, und die Knechte kauen Tabak und erzählen Witze, über welche die Mädchen artig lachen. Alle sind gesund und wohlauf, niemand ist krank oder greis oder gar gebrechlich.

Etwas befremdlich findet Jakob, dass es keine Kinder gibt. Die Bauernbetriebe, die er bisher gesehen hat, waren reich an Kindern und arm an allem anderen. Auf Montreuil ist es umgekehrt. Hier gibt es keine Bäuerin, die unablässig schwanger wäre und alle paar Jahre einen kleinen weißen Sarg zu Grabe trüge, und es gibt keinen Bauern, der hart und grausam geworden wäre über der lebenslangen Plage von Dürren, Seuchen, Unwettern und Schuldzinsen, und es gibt keine verstockten Mägde und Knechte, die den Bauern stumm für seine Hartherzigkeit verfluchen und die ganze Welt wegen ihrer gleichgültigen Ungerechtigkeit hassen.

Auf Montreuil sind alle glücklich. Der Schweinebraten schmeckt ausgezeichnet. Der Wein in der Karaffe ist gut. Die Mädchen schenken Jakob züchtige kleine Augenaufschläge. Die Männer schlagen ihm kameradschaftlich auf die Schulter und erkundigen sich, wie er mit der Arbeit zurechtkomme.

— Welche Arbeit?, fragt Jakob.

— Mit den Kühen.

— Das ist doch keine Arbeit. Ich wäre froh, wenn ich etwas zu tun hätte. Kann ich einem von euch zur Hand gehen?

Die Knechte heben abwehrend die Hände, sie haben selber kaum zu tun. Das bisschen Arbeit, das sie haben, wollen sie behalten.

— Wenn das so ist, schlachte ich morgen zwei Stierkälber. In der Herde gibt es drei, das sind zwei zu viel.

— Besser nicht, sagt einer der Knechte.

— Warum nicht?

— Auf Montreuil wird nicht geschlachtet. Wir geben die Tiere auswärts.

— Wieso?

— Weil die Prinzessin kein Blut sehen kann. Und die Todesschreie nicht hören will.

— Bei mir gibt es keine Todesschreie, sagt Jakob. Ich schneide die Tiere nur kurz, die merken das kaum. Und das Blut versickert im Gras.

— Trotzdem, sagt der Knecht.

Verlegene Stille breitet sich aus. Gläser werden gefüllt, Löffel rühren in Schüsseln. In der Ferne hebt der Gesang des Kastraten an.

— Der Ziehbrunnen ist trocken, sagt Jakob. Den müsste man wieder mal ausheben. Der Schacht ist keine acht Fuß mehr tief.

— Lass mal, sagt der Knecht. Der war noch nie tiefer.

— Dann ist es kein Wunder, dass er trocken ist.

— Der war schon immer trocken. In dem Boden gibt es kein Wasser, da kannst du graben, bis du schwarz wirst.

— Wozu dann der Brunnen?

— Der ist nur Kulisse, den wollte die Prinzessin haben. Sie sagt, ein Bauernhof ohne Brunnen wäre kein rechter Bauernhof.

— Da hat sie recht. Wo nehmt ihr das Wasser her?

— Das fürs Vieh wird aus der Seine herbeigepumpt. Unser Trinkwasser kommt aus dem Schloss.

— Und die Wäsche?

— Die geben wir auswärts. Die Prinzessin will nicht, dass die Lauge im Zuber unseren Mädchen die Finger zerfrisst.

So vergeht Tag für Tag. Die Schwalben kommen, die Obstbäume verblühen. Das Vieh gedeiht auf der Weide, bald werden die Kirschen reif sein. Jakob ist sonnengebräunt vom vielen Liegen auf der Wolldecke. Er hat schon keine Schwielen mehr an den Händen.

Noch vor der Sonnenwende sind die zwei Weiden auf Montreuil abgegrast. Die Kühe stehen auf der nackten Erde, muhen hungrig und sehen Jakob vorwurfsvoll an. Am nächsten Morgen führt er die Herde nach dem Melken nicht auf die Weide, sondern lässt sie in ihren Ställen und geht zum Eingangstor an der Landstraße. Er setzt sich neben Victor oder Pierre ins Gras und wartet auf Prinzessin Elisabeth. Als sie auf ihrem Araber-Schimmel angeritten kommt und ihren Hirten am Eingang sitzen sieht, huscht ein Schatten von Besorgnis über ihr rosiges Gesicht. Schwungvoll steigt sie ab und reicht die Zügel dem Wachmann.

— Was gibt's?

— Die Kühe haben Hunger, Hoheit. Die Weiden geben nichts mehr her.

— Dann lassen wir Futter herbeischaffen.

— Wenn Hoheit es erlauben: Es gibt im Eichenwald des Schlossparks ein paar sehr schöne Lichtungen.

Die Prinzessin lacht auf und klatscht in die Hände.

— Das ist eine ausgezeichnete Idee! Hol Er sofort die Tiere, ich kehre ins Schloss zurück und erkläre es meinem Bruder.

Wenig später überquert Jakob mit zwölf Rindern und vier Schweinen, sechs Ziegen und fünf Schafen sowie allerlei Geflügel die Pariser Allee, zieht durch ein Seitenportal in den Schlosspark und verschwindet in den Tiefen des Eichenwalds. Am späten Nachmittag taucht er mit der Herde wieder auf, kehrt zurück nach Montreuil und bringt alle Tiere für die Nacht in ihren Ställen unter.

Den ganzen Herbst bis spät in den November nomadisiert Jakob durch den Schlosspark. Der Eichenwald ist als Weidegrund ergiebig, lästig sind nur die verwilderten Hunde, die mit geifernden Lefzen um die Schafe streichen; Jakob verscheucht sie mit Stockhieben. Schwerer loszuwerden sind die Aristokraten aus dem Schloss, für die der

Schweizer Hirte mit seinen Kühen die Attraktion der Saison ist. Einzeln und in Gruppen spazieren sie in den Eichenwald, setzen sich am Rand der Lichtung auf Klappstühle, die ihnen die Lakaien bereitgestellt haben, und genießen das bäuerliche Schauspiel. Viele haben noch nie eine lebendige Kuh oder ein Schwein gesehen, erst recht nicht einen Schweizer Kuhhirten. Sie kreischen vor Vergnügen, wenn eine Kuh den Schwanz hebt oder der Schafbock ein Schaf besteigt, und sie deuten entzückt mit spitzen Fingern auf Jakob, wenn er sich mit dem Messer die Fingernägel reinigt oder mit den Zähnen Haselnüsse knackt. Mehrmals täglich kommt es vor, dass ein besonders Kühner Jakob zuruft, er solle doch bitte kurz eine Kuh melken, und dazu anzüglich grinsend mit seinen manikürten Fäusten gegenläufig auf und nieder fährt. Jakob gibt dann pflichtschuldig den Kuhhirten und erklärt den Herrschaften geduldig, dass man Kühe erst fressen lassen müsse, bevor man sie melken könne, und nur manchmal, wenn es ihm zu bunt wird, geht er zur Leitkuh und brummt ihr leise ins Ohr, worauf alle Kühe sich erheben und mit gesenkten Hörnern auf die Zaungäste zuschreiten, dass diese von ihren Klappstühlen hochschnellen und in begeistertem Entsetzen mit wippenden Perücken und quietschenden Reifröcken zurück ins Schloss fliehen.

In jenen Tagen wundert Jakob sich noch über das Quietschen der Reifröcke, ein vorbeiziehender Messerschmied aus der Heimat wird ihm das akustische Phänomen später erklären; es stammt von den Reifen aus Fischbein, die gegen die ledernen Verbindungsstreifen scheuern, wenn die Damen sich in Bewegung setzen.

Jeden Morgen um die zehnte Stunde kommt Prinzessin Elisabeth zu ihm in den Wald. Sie bindet ihr Pferd an einer Eiche fest, setzt sich zu ihm auf die Wolldecke und lässt sich ihr gewohntes Glas Milch reichen. Dann sitzen sie nebeneinander und betrachten das weidende Vieh. Manchmal schweigen sie, manchmal reden sie.

— Es ist sehr rücksichtsvoll von Ihm, dass Er die Tiere auf Distanz zum Schloss hält, sagt Elisabeth eines Morgens.

— Wissen Sie, Hoheit, die Viecher haben furchtbar schlechte Manieren. Die würden sich im Spiegelsaal ganz unmöglich aufführen.

Die Prinzessin lacht.

— Etwas näher zum Schloss dürfte Er mit ihnen aber schon kommen. Es besteht kein Grund, immer nur am äußersten Rand des Parks an der Umfassungsmauer zu bleiben. Bei den großen Wasserbecken gibt es ein paar sehr schöne Weidegründe.

— Ich weiß, Hoheit.

— Übrigens wäre es nett, wenn man die Kühe vom Schloss aus sehen könnte. Der König würde sich freuen.

— Es tut mir leid, Hoheit, die Kühe wollen nicht.

— Was?

— Sie wollen nicht näher zum Schloss.

— Ist das wahr?

— Ums Verrecken nicht. Es tut mir leid.

— Warum nicht?

Jakob legt die Stirn in Falten und presst die Lippen zusammen.

— Kühe sind stur, Hoheit. Wenn sie nicht wollen, wollen sie nicht. Da kann man nichts machen.

— Aber warum wollen sie nicht?

— Wer kann das wissen.

— Er weiß es.

— Sie wollen einfach nicht.

— Und warum nicht?

— Kühe sind nun mal Kühe. Es lohnt sich nicht, über sie nachzudenken.

— Ich habe in den letzten Monaten den Eindruck gewonnen, dass Er sehr viel über Kühe nachdenkt.

— Das ist richtig, Hoheit. Ich weiß nicht, was ich sagen soll.

— Einfach die Wahrheit.

— Wie Sie befehlen, Hoheit. Die Wahrheit ist, dass Kühe sehr feine Nasen haben.

— Und?

— Nichts weiter.

— Ich verstehe, sagt die Prinzessin und presst nun ihrerseits die Lippen zusammen.

— Bitte nehmen Sie das den Kühen nicht übel, sagt Jakob. Ihre Schädel sind groß, aber das Gehirn ist klein. Man muss nachsichtig mit ihnen sein.

Elisabeth nickt und mustert nachdenklich die Leitkuh, die wie gewohnt neben Jakob im Gras liegt und unter langen Wimpern ins Leere blickt, als sei sie tief in Gedanken versunken. Nach einer Weile steht die Prinzessin auf und nickt Jakob zum Abschied zu, schwingt sich in den Sattel und reitet davon, dem Schloss entgegen.

Der Winter macht den Streifzügen durch den Schlosspark ein Ende, die Tiere finden im schneebedeckten Wald kein Futter mehr. In der Nacht auf den 22. November 1788 gefriert erstmals das Wasser in den Regentonnen; es wird erst Ende Januar wieder auftauen. Die großen Kanäle im Schlosspark frieren zu, auf der Seine stecken die Schleppkähne im Eis fest. Brennholz wird knapp, die Preise für Mehl und Brot steigen von Woche zu Woche.

Auf Montreuil bleiben die Tiere morgens in der Wärme ihrer Ställe, Jakob gibt ihnen Futter aus den Speichern fremder Bauernhöfe. Nachmittags treibt er sie, damit sie Bewegung haben, hinaus in den Schnee. Dann sitzt er in seinem Unterstand und schnitzt Knöpfe aus Kuhhörnern, die er umsonst im königlichen Schlachthof bekommt. Manchmal fällt ein wenig Schnee, dann rennen die Kühe aufgeregt umher und lecken sich mit ihren langen Zungen die Schneeflocken von den Mäulern.

In der Abenddämmerung führt er die Tiere zurück in ihre Ställe, hackt vor seiner Melkhütte Brennholz und entfacht Feuer im Kamin. Danach geht er zum Essen ins Gesindehaus und hinterher noch zum Haus der Kastraten auf einen Calvados mit dem Grizzly, zu dem er eine herzliche Zuneigung gefasst hat. Spät abends unternimmt er zum Abschluss des Tages manchmal noch einen Spaziergang auf den künstlichen Hügel und beobachtet, wie in Schloss Versailles die Lichter ausgehen.

Die Prinzessin besucht ihn nun nicht mehr so oft; und wenn, dann nicht zu Fuß, sondern auf dem Rücken ihres Arabers, damit ihre Schuhe im schmutzigen Schnee keinen Schaden nehmen. Sie steigt nicht ab und kommt nicht zu ihm in den Unterstand, sondern wartet im Sattel, bis er zu ihr herauskommt, und dann unterhält sie sich mit ihm von der Höhe des Pferderückens herunter sehr sachlich über den harten Winter, die Notwendigkeit von Futterzukäufen und die saisonal bedingte Unfruchtbarkeit der Legehennen. Und wenn er ihr ein Glas Sahnemilch anbietet, lehnt sie dankend ab und verabschiedet sich bald wieder unter Hinweis auf zahlreiche anstehende Verpflichtungen. Dann kehrt Jakob in seinen Unterstand zurück, trinkt den Milchkrug selber aus und schnitzt weiter Knöpfe.

Später am Tag kann er die Prinzessin immer wieder sehen. Er kann sie sehen, wie sie einen Steinwurf entfernt über den Hof eilt, um den Knechten Anweisungen zu geben. Er kann sie sehen, wie sie die Anlieferung von Brennholz beaufsichtigt. Er kann sie sehen, wie sie am Eingangstor Gemüse an die Armen verteilt, das sie zukaufen musste, weil die eigenen Vorräte längst aufgebraucht sind. Und gegen Abend, gerade zur Stunde, da Jakob die Kühe in den Stall zurücktreibt, kann er sie sehen, wie sie die Dienstmädchen um sich schart und mit ihnen zum Billardspielen ins Haus geht.

Wenn Jakob dann vor seiner Melkhütte Holz hackt, kann er auch das hell erleuchtete Fenster des Billardzimmers sehen. Er sieht die Frauensilhouetten, wie sie mit ihren Queues den Tisch umkreisen, er sieht ihre gereckten Hintern und ihre Dekolletees, wenn sie sich über den Billardtisch beugen, und er sieht die kleine Gestalt Elisabeths, die manchmal königlich einsam am Fenster steht und in die winterliche Abenddämmerung hinausblickt. Und weil er annimmt, dass sie nach ihm Ausschau hält, tut er, als habe er sie nicht bemerkt, und wendet ihr schonungsvoll den Rücken zu.

Ein harter Winter geht vorüber. Der Schnee schmilzt, auf den Wiesen blühen die Krokusse. Elisabeth hat sich an den Anblick trotzig zugedrehter Bauernrücken gewöhnt. Sie weiß jetzt, dass sie und die Bauern nicht gleich sind noch sein können, und hat sich damit abgefunden; aber wenn sie schon nicht mit ihnen gemeinsam glücklich sein kann in der besten aller möglichen Welten, so müsste es doch wenigstens ein Glück nebeneinander geben; das zumindest muss möglich sein, davon will Elisabeth nicht lassen.

Warum nur, fragt sie sich, ist ihr Schweizer Kuhhirte so augenscheinlich unglücklich auf Montreuil? Denn dass er Kummer hat, sieht sie ihm über den Kartoffelacker hinweg an, wie er mit trotzig gesenkter Stirn vor seinem Spaltbock steht und Holz hackt. Was fehlt ihm denn? Hat er nicht reichlich zu essen und ein warmes Obdach? Stehen nicht die bestmöglichen Kühe in seinem Stall? Hat er nicht freundliche Arbeitskameraden und hübsche Mädchen zur Gesellschaft? Scheint die Sonne etwa nicht schon wieder wärmer, kehrt nicht auch für ihn die schöne Jahreszeit zurück? Was sitzt er immer nur für sich allein dort draußen, bläst Trübsal und sondert sich von den anderen ab wie ein Tropfen Öl, der auf dem Wasser schwimmt? Was will er denn?«

»Darf ich an dieser Stelle kurz unterbrechen?«, fragte Tina.

»Aber bitte«, sagte Max. »Ich hatte mir schon gedacht, dass es dir allmählich zu bunt wird.«

»Gibt es für das, was sich da zwischen Billardzimmer und Kuhweide anzubahnen scheint, irgendwelche faktischen Belege?«

»Was bahnt sich denn deiner Ansicht nach da an?«

»Ach komm jetzt.«

»Für das, was sich da anbahnt, habe ich selbstverständlich Belege. Dies ist eine wahre Geschichte, vergiss das bitte nicht.«

»Ich dachte, das tut nichts zur Sache.«

»Wie?«

»Zu Beginn hast du gesagt, es sei nicht so wichtig, ob eine Geschichte wahr sei. Wichtig sei nur, dass sie stimme.«

»Bei manchen Geschichten ist es aber eben doch wichtig, dass sie wahr sind, weil sie nicht stimmen würden, wenn sie erfunden wären. Kannst du mir folgen?«

»Gerade noch.«

»Diese Geschichte hier zum Beispiel ließe sich, wenn sie nicht wahr wäre, spätestens von dieser Stelle an nicht mehr weitererzählen.«

»Warum nicht?«

»Weil's einfach zu viel wäre. Du musst dir vorstellen, was in der Folge geschieht. Die Prinzessin steht also am Fenster und brütet über der Frage, warum ihr Kuhhirte so unglücklich ist. Sie befürchtet, dass er diese typisch schweizerische Krankheit hat, die unter den Söldnern im Schloss derart grassiert, dass man sie am Hof *La maladie suisse* nennt; sogar die Philosophen in Paris interessieren sich für das Phänomen. Denis Diderot widmet ihr in seiner Enzyklopädie unter dem Stichwort *Le Hemvé* einen ganzen Artikel, und Jean-Jacques Rousseau schreibt in einem Brief: ›Es ist schon bemerkenswert, dass die Bewohner dieses rauen Landes, das sie doch ständig zur Auswanderung zwingt, ihre Heimat so zärtlich lieben, dass sie fast alle irgendwann wieder heimkehren; und dass jene, denen die Heimkehr verwehrt bleibt, aus Trauer darüber in eine Krankheit verfallen, die manchmal zum Tode führt. Diese Krankheit nennen sie, glaube ich, *le Hemvé.*‹

Elisabeth hat Heimweh nie empfunden, denn sie hat ihre Heimat nie verlassen. Übrigens gibt es im Französischen kein Wort für Heimweh, weil Franzosen es gemeinhin vermeiden, ihr schönes Land ohne Not für ein fremdes zu verlassen, solange nicht ihre Armee dieses fremde Land erobert und Französisch als Amtssprache eingeführt hat.

Deshalb kann Elisabeth es nicht nachempfinden, dass jemand Sehnsucht nach Geröllhalden, Bergspitzen und grünen Talgründen hat. Unerfüllte Wünsche hingegen kennt auch sie, ebenso vages Verlangen, namenlose Sehnsucht oder hoffnungsloses Begehren; irgend so etwas wird es wohl sein, was ihrem Hirten auf der Seele lastet.

Wie sie so am Fenster steht, vergisst sie für eine Weile das Billardspiel und die Dienstmädchen. Gemütlich prasselt das Feuer im offenen Kamin. Die Dienstmädchen ihrerseits vergessen nichts und lassen Elisabeth keinen Augenblick aus den Augen. Sie umkreisen weiter den Tisch und stoßen plaudernd und lachend die Elfenbeinkugeln an, als ob nichts sei, aber gleichzeitig registrieren sie jedes Stirnrunzeln ihrer Herrin, jeden tonlosen Seufzer, jede nachdenklich hinters Ohr gestrichene Haarsträhne; denn Dienstmädchen, das muss man wissen, sind die aufmerksamsten und effizientesten Geheimdienste der Welt. Sie sehen, hören und riechen den ganzen Tag lang alles, was sich im Haus ihrer Herrschaft zuträgt, und auch nachts liegt immer eine von ihnen lauschend wach, um am nächsten Morgen beim Frühstück den anderen Bericht erstatten zu können, falls sich im Dunkeln etwas Interessantes ereignet haben sollte; kommt hinzu, dass sie bestens mit den Dienstmädchen anderer Häuser vernetzt sind. Männliche Hausangestellte hingegen sind als Spione vergleichsweise ungeeignet, weil sie meist froh sind, nichts sehen, nichts hören und nichts sagen zu müssen. Dienstmädchen aber sind allezeit wissbegierig, deshalb nahezu allwissend und meist auch auskunftsfreudig. Sie sind die Herrinnen über schmutzige Wäsche, dreckiges Geschirr und verschwiegene Dachkammern, haben für jedes Ereignis eine Erklärung und können oft auch vorhersagen, was in Zukunft geschehen wird.

Das wiederum weiß die Prinzessin, denn sie hat ihr ganzes Leben in intimer Nähe zu Dienstmädchen verbracht. Sie wendet sich vom Fenster ab und kehrt an den Billardtisch zurück. Die Dienstmädchen spielen weiter, als ob nichts sei; höchstens, dass sie etwas leiser sind als gewöhnlich. Die eine gießt Tee auf, die andere legt Brennholz im Kamin nach, eine Dritte zieht die Vorhänge zu. Elisabeth tut ebenfalls, als ob nichts sei; sie nimmt ein Queue zur Hand und spielt mit. Die Partie nimmt ihren Lauf, aber allmählich verstummt das Gelächter, versiegt das Geplauder; bald herrscht vollkommene Stille bis auf das Klacken der Kugeln und das Rascheln der Röcke. Lauernd umkreisen die Frauen den Tisch. Die Spannung steigt, ebenso die Vorfreude; denn alle wissen, dass gleich etwas Interessantes, Erinnernswertes geschehen wird. Bald wird das Schweigen gebrochen werden, und zwar von der Prinzessin, nur ihr steht das zu; offen ist einzig die Frage, wann und wie sie es tun wird.

Endlich sorgt Elisabeth für die Erlösung. Und weil sie weiß, dass sowieso alle wissen, worum es geht, redet sie nicht lange um den heißen Brei, sondern deutet mit dem Queue aufs Fenster und sagt:

— Was hat er bloß?

Da geht ein Aufatmen um den Billardtisch. Röcke rascheln, Füße trippeln. Die Mädchen legen ihre Queues auf das grüne Tuch, holen Atem und legen los, nuschelnd und stockend erst nur, dann immer beherzter und ausführlicher, bis sie alle durcheinanderreden und sämtliche Informationen zum Besten geben, die sie seit Jakobs Ankunft über ihn gesammelt haben.

— Ein ziemlich verstockter Bursche ist er ja, das muss man sagen. Redet immer nur mit seinen Kühen, sonst zu niemandem ein Wort. Höchstens mal Guten Morgen, Jawohl und Danke schön und Gute Nacht, aber das war's dann.

— Stark ist er, das würde man ihm gar nicht geben. Einmal hat er einem Gaul, dem das Hufeisen nicht passte, das Eisen mit bloßen Händen aufgebogen.

— Zum Nachtisch isst er am liebsten Blauschimmelkäse mit Birnen und Baumnüssen.

— Sein einziger Freund ist der Kastrat, den besucht er jeden Abend.

— Ich glaube, er kann nachts oft nicht schlafen. Jedenfalls brennt bei ihm manchmal die halbe Nacht das Licht.

— Er hat feine Hände. Und schöne Fingernägel. Wie ein Mädchen.

— Nein, Hemvé hat er nicht. Das ist es nicht. Wenn die Schweizer Hemvé haben, singen sie traurige Lieder und reden die ganze Zeit von den Schneebergen. Ein fürchterliches Gewäsch, nicht auszuhalten.

— Und riechen tut er gut. Nach frischem Roggenbrot.

— Zuerst habe ich gedacht, er hat's hoch im Kopf. Aber jetzt glaube ich, er ist nur schüchtern.

— Das ist oft so, dass die Schüchternen hochmütig scheinen.

— Umgekehrt aber auch.

— Ich liebe es, wenn ein Mann schüchtern ist. Die wirklich Starken sind alle schüchtern.

— Aber nicht alle Schüchternen sind stark.

— Manchmal guckt er einen so an mit seinen grauen Augen.

— Wenn man ihm was zu gucken gibt, dann guckt er schon.

— Aber schöne Augen macht er einem nicht.

— Nein, das nicht.

— Aber was hat er denn nun?, fragt die Prinzessin, die durch die höfische Etikette zu sinnlicher Ahnungslosigkeit verpflichtet ist.

— Also das ist ja wohl klar.

— Mir war es vom ersten Tag an klar.

— Mir auch. Auf den ersten Blick.

— Auf eine Meile Entfernung sieht man ihm das an.

— Also was?

— Er hat ein Mädchen zu Hause.

— Sie heißt Marie.

— Wer sagt das?

— Der Kastrat.

— Na ja, ein Mädchen. Neunundzwanzig Jahre alt ist das Mädchen immerhin schon.

— Na und? Er ist noch älter.

— Der Kastrat sagt, der Vater des Mädchens ist reich, und er ist arm. Darum dürfen sie nicht heiraten.

— Sie will aber keinen anderen, sie wartet auf ihn. Seit zehn Jahren.

— Und er wartet auf sie. Er will auch keine andere.

— Ach so, ein Mädchen!, ruft Prinzessin Elisabeth. Na, wenn's weiter nichts ist. Die Alpen hätte ich ihm nicht herbeischaffen können, aber ein Mädchen – das kriegen wir hin.

Gleichentags erzählt Elisabeth beim Abendessen ihrem Bruder zwischen Hammelkeule und Rinderroulade, was für ein Unglück sie unwissentlich über ihren Kuhhirten und sein Mädchen gebracht hat.

— Diese Schweizer haben doch immer etwas zu jammern, sagt der König, dabei sind sie selber solche Grobiane. Hat dein Kuhhirte nicht einfach Hemvé?

Die kleine Schwester schüttelt den Kopf.

— Es ist wegen des Mädchens.

— Dann lass ihn in Frieden, sagt der König und streicht sich mit seinen beringten Fingern über die Wange. Der Mann wird doch einfach mal unglücklich sein dürfen.

— Nicht auf Montreuil, sagt Elisabeth. Auf Montreuil will ich, dass alle glücklich sind.

— Dann schick ihn weg. So machst du ihn glücklich und bist den Jammerlappen los.

— Ich will ihn aber behalten. Er ist der beste aller möglichen Hirten. Die Kühe gehorchen ihm wie Hunde. Und sie geben doppelt so viel Milch.

— Dann gibt es nur eine Lösung, sagt der König und schürzt schlau die Lippen.

— Welche?, fragt die Prinzessin in gespielter Arglosigkeit.

— Das Mädchen muss herkommen.

— Ausgezeichnete Idee.

— Aber dann müssen die beiden auch heiraten. Ordnung muss sein.

— Gewiss, sagt die Prinzessin.

— Lass mich mal machen, sagt der König, der sich freut, seine Autorität für einmal an einem lösbaren Problem zur Anwendung bringen zu können. Einer unserer Schweizer Arschkriecher muss einen Brief in die Schweiz schreiben. Am besten dieser Stotterer aus dem Freiburgischen, wie heißt er nochmal.

— De Diesbach, sagt Elisabeth. Übrigens stottert er gar nicht, der heißt wirklich so.

— Wie auch immer, sagt der König. Dieser Diesbach soll sofort herkommen und schreiben, ich gebe dann meine Siegel dazu.

— Können wir einen Eilboten schicken? Heute noch?

Das geschah an einem Abend Ende März 1789, wie gesagt. Falls der Eilbote auf der Heeresstraße nie überfallen wurde, und falls er unterwegs keine Krankheit auflas, nie in eine Kneipenschlägerei verwickelt wurde und sich in keine Prostituierte verliebte, muss er nach zehn bis zwölf Tagesritten, also in der ersten oder zweiten Aprilwoche 1789, in Freiburg eingetroffen sein. Dann kann man sich vorstellen, wie er bei Hauptmann Von der Weid vorspricht und ihm den Brief überreicht, worauf dieser alles stehen und liegen lässt und mit einer zweispännigen Kalesche und drei Mann Eskorte ins Greyerzerland fährt.

Es ist später Nachmittag, der Bauer Magnin sitzt wie gewohnt auf seiner Sitzbank neben dem Birnenspalier und raucht Pfeife. Er sieht die Staubwolke auf der Landstraße, dann sieht er die Kalesche und die Soldaten, und dann erkennt er Hauptmann Von der Weid. Er weiß, dass das nichts Gutes bedeutet. Als die Kalesche in seinen Hof einbiegt, steht er auf und geht voran ins Haus.

Schwer schleppen sich die Stiefel des Bauern und des Hauptmanns übers Eichenparkett der guten Stube. Stühle rücken, eine Magd stellt kleine Gläser und eine Flasche auf den Tisch. Ächzend setzt der Bauer sich hin, mit halb geschlossenen Augen beäugt er den mit Siegeln behängten Brief auf dem Tisch. Der Hauptmann fängt an zu reden, der Bauer hört ihm zu und verzieht keine Miene. Diesmal wird er nicht rumbrüllen. Er weiß, dass er gegen den Hauptmann und die Bourbonensiegel nicht ankommt. Regungslos sitzt er da, fast möchte man meinen, er sei eingeschlafen. Aber er ist hellwach, in seinem Bauernschädel rattert die Rechenmaschine. Er hat verloren und Widerstand ist zwecklos, das ist ihm klar. Jetzt sucht er nach einem Weg, seine Niederlage in einen Sieg zu verwandeln.

Na gut, brummt der Bauer, als der Hauptmann geendet hat, ihm soll's recht sein. Wenn seine Tochter partout diesen Alpentrampel haben will, soll sie ihn in Gottes Namen haben. Einen vernünftigen Kerl würde sie in ihrem Alter sowieso nicht mehr bekommen, nicht mal einen Witwer. Wenn also ab sofort der König von Frankreich die beiden durchfüttern will, umso besser.

So redet der Bauer, weil er glaubt, dass er sich das schuldig ist und man es von ihm erwartet. Für sich selbst aber denkt er auch noch anderes; denn eigentlich ist er kein Unmensch, wie gesagt, sondern nur ein ungehobelter Grobian.

Was für eine saublöde Zeitverschwendung, denkt der Bauer, während er Speisereste zwischen seinen Zähnen hervorsaugt. Ich hätte mir eine Menge Ärger erspart, wenn ich die beiden schon vor zehn Jahren zusammengegeben hätte. Na gut, hinterher ist man immer klüger. Wer konnte denn ahnen, dass die beiden dermaßen stur bleiben würden, sowas gibt's ja gar nicht. Die meisten jugendlichen Turteltauben geben irgendwann mal auf und tun dann, was man ihnen sagt. Aber nicht die beiden. Weiß der Teufel, warum die so stur sind und was sie aneinander finden. Denn ehrlich gesagt, solche Alpentrampel wie den Alpentrampel findet man in jedem Kuhdorf ein paar Dutzend, wenn an der Kirmes zum Tanz aufgespielt wird, und nette Mädchen wie meine Marie, die ein großes Herz und hübsche Waden haben, laufen zu jeder Jahreszeit überall in der Gegend rum. Mag ja sein, dass es dieses Glück geben kann, den richtigen, einzigen Menschen gefunden zu haben, den rätselhafterweise nicht austauschbaren und nicht zu ersetzenden, die andere Hälfte, ich will da gar nichts gesagt haben. Kann schon sein. Bei den Gänsen jedenfalls ist es so, bei den Rindern andrerseits eher weniger; bei denen ist ein Stier einfach ein Stier und eine Kuh eine Kuh. So oder so ist es schade um die nutzlos vertanen Jahre, Marie ist ja in der Zwischenzeit bereits ein bisschen alt geworden; an den Augen hat sie schon ein paar Fältchen, und an den Schläfen graue Strähnen. Was will man machen, gegen Sturheit ist kein Kraut gewachsen. Wenn zwei wirklich zueinanderwollen, dann wollen sie zueinander. Kurzfristig kann man sie vielleicht mit Peitschen und Kälberstricken auseinandertreiben, aber wenn du den Rücken drehst, sind sie schon wieder zusammen. Die beiden sind wie Gänse, eigentlich muss man sie beglückwünschen. Die meisten Leute sind ja Rinder, die heiraten einfach irgendwen, weil man das so macht; denen dämmert erst in der Sekunde ihres Todes, wie wunderbar das Leben ist. Andere, das sind dann wohl die Gänse, wissen das schon am Tag ihrer Geburt, oder sogar schon vorher. Mir gefällt ja mein Josephinchen auch immer noch, wenn ich ehrlich bin, weiß der Teufel, warum, das soll mir mal einer erklären. Na gut, wie auch immer. Ist ja jetzt egal.

So zerbröseln die Gedankengänge des Bauern. Um sie für sich sauber abzuschließen, schlägt er mit der flachen Hand auf den Tisch und ruft nach seiner Josephine. Er muss nicht laut rufen, die Tür steht offen und die Frau steht draußen im Flur. Sämtliche Hausbewohner stehen im Flur und lauschen. Das weiß der Bauer, er kennt seine Pappenheimer.

— Sag Marie, sie soll sich reisefertig machen.

— Wann?

— Sofort. Der Hauptmann wartet.

Die Bäuerin ruft nach Marie. Auch sie muss nicht laut rufen, auch Marie steht im Flur.

— Bitte nur leichtes Gepäck, sagt der Hauptmann, in der Postkutsche wird wenig Platz sein.

— Und die Kiste mit der Aussteuer?

— Die muss leider hierbleiben.

— Wenn das Mädchen heiraten soll, sagt die Mutter, braucht es seine Aussteuer.

— Die Postkutsche wird voll besetzt sein, sagt der Hauptmann. Es herrscht viel Verkehr auf dem Weg nach Versailles, der König hat die Generalstände einberufen.

— Was?

— Nichts, sagt der Hauptmann und winkt ab. Die Kiste können wir jedenfalls nicht mitnehmen, es tut mir sehr leid. Das Beste wird sein, man schickt sie später hinterher.

— Wozu die Umstände?, sagt der Bauer. Ich sage, die Kiste bleibt hier, in Versailles herrscht gewiss kein Mangel an Silberlöffeln. Marie! Wirst du wohl herkommen!

Da betritt auch Marie die Stube. Sie hat schon ihren Mantel übergeworfen und eine Reisetasche in der Hand. Der Hauptmann erhebt sich und deutet eine Verneigung an. Die Mutter weint. Der Vater schaut aus dem Fenster, als ginge ihn das alles nichts mehr an. Er hat mit dem Hauptmann alles besprochen, jetzt kann man schweigen. Nur wegen der Weibsbilder wird er die Sache nicht noch einmal durchkauen.

Marie ist es ganz recht, dass keine großen Worte gemacht werden. Für sie ist alles klar.

— Bist du bereit?, fragt der Vater.

— Wir können gehen, sagt Marie. Auf die Toilette vielleicht noch rasch.

Der Abschied ist kurz. Draußen hat Nieselregen eingesetzt. Kurze, ungelenke Umarmungen vor der Kalesche, die flachen Gesichter der Geschwister leuchten weiß in der Abenddämmerung. Dann ziehen die Kutschpferde auf dem nassen Kopfsteinpflaster an, Marie wirft einen letzten Blick über die Schulter, und nach einer Stunde Fahrt ist sie schon weiter weg von zu Hause als jemals zuvor in ihrem Leben. In

Freiburg angekommen, verschafft Hauptmann Von der Weid ihr ein Zimmer in einer einfachen Pension. Am folgenden Morgen, es ist Mittwoch, der 15. April 1789, geht er mit Marie aufs Passbüro und lässt ihr einen Reisepass ausstellen. Dann bucht er zwei Plätze in der Postkutsche nach Versailles.

Während der zwei Wochen, die Marie und der Hauptmann unterwegs sind, herrscht in Montreuil gespannte Erwartung. Prinzessin Elisabeth hat es sich zur Aufgabe gemacht, den zwei Liebenden das glücklichste aller möglichen Wiedersehen zu bereiten.

Anfangs denkt sie daran, die Sache geheim zu halten und Jakob mit Maries Ankunft zu überraschen. Sie nimmt dann aber davon Abstand, weil Überraschungen immer nur den Drahtziehern Vergnügen bereiten, von den Überraschten selbst aber stets als gewaltsam empfunden werden.

In der besten aller möglichen Welten, denkt sich die Prinzessin, werden Liebende nicht durch obrigkeitliche Verfügungen vereinigt, sondern finden allein und ohne soldatischen Begleitschutz zueinander. Sie beschließt deshalb, im Hintergrund zu bleiben und Jakob durch Vermittlung des Kastraten auf Maries Ankunft vorzubereiten. Zuerst aber soll er herausfinden, ob Jakobs Liebe immer noch ungebrochen und er tatsächlich willens ist, Marie vor den Traualtar zu führen, wie der König es verlangt.

Der Grizzly weiß natürlich, dass er Jakob diese Fragen nicht zu stellen braucht, denn er ist sein bester Freund. Also singt er an jenem Abend in der hereinbrechenden Dunkelheit, gerade zur Stunde, da Jakob gewöhnlich über die Mauer klettert, das *Ave Maria*; diesen Scherz kann er sich nun erlauben. Und später, nachdem er Jakob die Nachricht überbracht und allen Unglauben, jeden Zweifel und alles Misstrauen ausgeräumt hat, nimmt er Jakob in seine mächtigen Arme, damit dieser sein Glück an der Bärenbrust des Freundes ausweinen kann.

Ansonsten nimmt das Leben seinen gewohnten Lauf, von den Erschütterungen der Welt ist hinter den Umfassungsmauern von Montreuil wenig zu spüren. Die Hühner legen wieder Eier und die Kühe sind trächtig, die Obstbäume stehen in schöner Blüte und werden, falls nicht noch ein verspäteter Frost kommt, in diesem Jahr ordentlich Früchte tragen. Gemäß der neusten Ausgabe des königlichen Almanachs sind seit der Erschaffung der Welt 5789 Jahre vergangen, die Sintflut liegt 4129 Jahre zurück und die französische Monarchie besteht seit 1369 Jahren.

Für Jakob Boschung sind es Tage des Wartens. Er lässt die Kühe nun oft allein auf der Weide, läuft zum Eingangstor und setzt sich auf die Umfassungsmauer, um die Pariser Allee im Auge zu behalten, auf der seit einigen Wochen ungewöhnlich viel Verkehr herrscht. Tag und Nacht strömen aus dem ganzen Land Bauern, Bürger, Landadlige und Priester nach Versailles, die mit dem König über die Brotpreise und die Steuerlast sprechen wollen, und hinter ihnen her ziehen Heerscharen von Schaulustigen, Aufrührern, Taschendieben, Marketenderinnen, Glücksrittern, Verschwörern und Maulhelden. Das ganze Land scheint sich beim Schloss versammeln zu wollen, auf der Straße kommt es zu Staus, in der

Stadt sind alle Hotelzimmer und Dachkammern zu Höchstpreisen vermietet. Die Zuspätgekommenen und die Mittellosen lassen sich am Straßengraben nieder und biwakieren dort wochen- und monatelang, manche direkt an der Umfassungsmauer von Montreuil. Der Wächter am Eingangstor hat strenge Anweisung, niemanden einzulassen.

Es braut sich etwas zusammen in Versailles.

Jakob sitzt auf der Mauer und wartet. Er sitzt dort viele Stunden täglich, dabei könnte er sich die Morgen- und die Mittagsstunden ohne weiteres sparen, Marie wird ganz gewiss frühestens am Nachmittag ankommen – denn Reisende, das ist ein Grundgesetz angewandter Iteristik, erreichen ihr Ziel niemals am Morgen oder Mittag, sondern immer erst nachmittags oder am Abend. Der Grund dafür liegt darin, dass die letzte Etappe stets eine lange, an einem Vormittag nicht zu schaffende ist; denn wäre sie kürzer und betrüge nur, sagen wir, zwei oder drei Stunden, würde der Reisende sie vernünftigerweise am Abend des vorletzten Reisetags noch dranhängen, mit Wadenkrämpfen und zusammengebissenen Zähnen vielleicht, aber um den Preis der Belohnung, dass der vorletzte Reisetag dann eben der letzte wäre.

Marie trifft also an einem späten Nachmittag Ende April 1789 in Versailles ein. Besondere Ereignisse gab es unterwegs nicht zu verzeichnen, jedenfalls weiß ich von keinen. Die Postkutsche bahnt sich einen Weg durch das Lumpengesindel beidseits der Pariser Allee. Als sie vor dem Eingangstor zum Stillstand kommt, nimmt Marie Abschied vom Hauptmann und steigt aus. Wie es der Zufall will, sitzt Jakob in diesem Augenblick gerade nicht auf der Mauer, sondern rasiert sich in der Melkhütte mit seinem Messer.

Alles ist wie stets in Montreuil. Es schmücken keine Blumen das Eingangstor, es stehen keine Brautjungfern bereit und es spielt auch keine Musikkappelle, denn Prinzessin Elisabeth hat angeordnet, dass bei Maries Ankunft alles ganz natürlich und alltäglich sein soll; nur noch ein bisschen sauberer, noch ein bisschen reinlicher, noch ein bisschen hübscher, wenn möglich.

Der Wächter am Eingangstor hat Befehl, Marie ohne Fragen und Formalitäten auf direktem Weg zu Jakobs Melkhütte zu führen, beim Kartoffelacker dann aber umzukehren und Marie den Rest der Strecke allein gehen zu lassen. Das übrige Personal hat strenge Anweisung, sich die nächsten Tage von der Melkhütte fernzuhalten.

Als Marie die Melkhütte in der ganzen Pracht ihrer neoalemannischen Alpenhelvetik erblickt, lacht sie hell auf und rennt los. Hinter ihr leuchtet weiß das Herrenhaus. In der Melkhütte geht die Tür auf, Jakob tritt heraus. Er ist frisch rasiert, das Messer hat er noch in der Hand. Er lässt es fallen und fängt Marie auf, zieht sie rasch hinein und verschließt fest die Tür.

Am nächsten Morgen bleibt die Tür ungewöhnlich lang geschlossen, das Messer liegt noch immer auf dem Vorplatz. Die Kühe muhen unzufrieden im Stall; ihre vollen Euter schmerzen, sie wollen gemolken werden. Endlich geht die Tür auf. Marie und Jakob treten ins Freie. Er hebt sein Messer auf, gemeinsam misten sie die Ställe aus, füllen die Futtertröge und melken die Kühe, und dann gehen sie zum Bach und nehmen ein Bad unter der japanischen Bogenbrücke. Kein Mensch lässt sich blicken, es ist, als seien sie allein auf der Welt. Gemeinsam treiben sie das Vieh auf die Weide und lassen sich im Unterstand auf der Wolldecke nieder. Und weil sie so nah beieinandersitzen, hat neben ihnen auch die Leitkuh noch Platz.

Ein Jahr ist vergangen, seit sie am Fuß des Jaunpasses Abschied nehmen mussten; jetzt berichten sie einander alles, was seither geschehen ist. Später erzählt er ihr, dass die Montgolfière auf ihrem Jungfernflug von Versailles nach Vaucresson genau über jenes Stück Himmel geflogen sein muss, unter dem sie in diesem Augenblick sitzen, und sie lässt sich auf den Rücken fallen, blickt hinauf in die Wolken und erkundigt sich nach dem weiteren Schicksal der Ente, des Hammels und des Hahns mit dem geknickten Flügel.

Abends melken sie wiederum die Kühe, dann gehen sie zum Abendessen ins Gesindehaus, wo die Dienstmädchen Marie mit gut gespielter, vielleicht nicht mal geheuchelter Herzlichkeit begrüßen, bevor sie mit großen, runden Augen die jüngsten Gerüchte aus der Stadt zum Besten geben.

Der Bischof von Paris ist auf offener Straße verprügelt worden.

Ein Heer von vierzigtausend Aufständischen ist unterwegs, um Schloss Versailles niederzubrennen und den gesamten Adel zu massakrieren.

Unbekannte Steinewerfer haben die Glasfenster von Notre-Dame eingeworfen.

Der König kann sich auf die Armee nicht mehr verlassen, die Soldaten gehorchen ihren Offizieren nicht mehr.

Sogar die treuen Schweizer Leibgardisten fangen an zu murren.

Alles geht die Scheißgasse hinunter, es ist nur noch eine Frage der Zeit.

Und so ist es kein Wunder, dass auf Montreuil alle paar Nächte eine Magd ihr Bündel packt, im Dunkeln über die Umfassungsmauer klettert und für immer in den Tiefen der Provinz verschwindet, wo sie hergekommen ist und ihre Ahnen seit dunkelster Vorzeit gelebt haben. Das steht ihr frei, man wird sie nicht jagen, nicht zurückholen und nicht bestrafen, denn sie ist keine Soldatin und hat keinen Fahneneid geschworen, und eine Leibrente bezieht sie schon gar nicht. Und weil manche Magd, wenn sie über die Mauer klettert, auch noch einen Knecht als Begleiter und Beschützer mitnimmt, bleiben am nächsten Morgen beim Frühstück oft gleich zwei Stühle leer.

Man kann sagen, dass Marie und Jakob in diesen Frühlingstagen das Paradies auf Erden erleben. Sie sind wieder vereint und werden nach menschlichem Ermessen nie mehr voneinander getrennt werden, denn ihre Verbindung steht unter dem persönlichen Schutz des Königs von Frankreich. Sie haben ein schönes Obdach, ein bedingungsloses Grundeinkommen und reichlich zu essen, und das bisschen Arbeit, das sie dafür zu leisten haben, ist zu zweit nun endgültig nicht mehr der Rede wert. In den Schwalbennestern fiepen die Küken, nachts duftet der Flieder durchs offene Fenster, die Wetteraussichten für die kommenden Monate sind gut. Nach den ersten Tagen seliger Zweisamkeit steht ihnen auch der Sinn nach Gesellschaft, sie schließen Freundschaften mit den Dienstmädchen und Knechten; und nach dem Abendessen klettern sie über die Umfassungsmauer und besuchen den Grizzly.

Ihre Hochzeit ist für den 26. Mai 1789 anberaumt.

Alles steht zum Besten, die beiden könnten nicht glücklicher sein – wenn nur Jakob es nicht Tag und Nacht schmerzhaft empfände, wie fest die Prinzessin ihn an den Eiern hat. Sie gibt ihm Sold und Kost und Obdach, sie ist die Schirmherrin seiner Liebe, sie lässt ihn tun und lassen, was ihm beliebt, solange es nur ihren Kühen gut geht und er nicht davonläuft. Sollte er aber davonlaufen, würde sie ihn einsperren. Oder an die Kette legen. Jakob ist ihr Tanzbär. Ihr Kapuzineräffchen. Ihr Kanarienvogel. Ihr verwöhnter Zwergpinscher. Vermutlich denkt die Prinzessin nicht so und wäre sehr erstaunt, wenn man ihr das sagte, aber das ändert nichts an der Tatsache.

Marie hingegen empfindet diesen Klammergriff noch nicht. Sie fühlt sich frei, denn sie ist gerade erst der Obhut des Vaters entkommen, und gegen die neuen Gitterstäbe hat sie sich noch nicht gestoßen. Übrigens scheint die Prinzessin sich nicht für Marie zu interessieren, sie ist seit ihrer Ankunft noch nie auf die Weide gekommen. Nur manchmal kann Marie sie aus der Ferne im Fenster des Billardzimmers sehen, wie sie nachdenklich auf den Kartoffelacker hinausblickt.

Aber weil Marie doch die Tochter des Bauern Magnin ist – die Tochter eines richtigen Bauern, der einen richtigen Landwirtschaftsbetrieb führt –, wundert sie sich von Tag zu

Tag mehr über diesen Puppenstuben-Bauernhof, auf den es sie da verschlagen hat. Und so geschieht es eines Abends beim Spaziergang zum Hügel hinauf, als zu allem Überfluss auch noch hinter dem schwarzen Königsschloss blutrot die Sonne untergeht, dass Marie plötzlich stehen bleibt, sich von Jakobs Arm losmacht und eine weit ausladende Armbewegung vollführt, die ganz Montreuil umfasst – den falschen Berg aus zusammengekarrtem Bauschutt, die japanische Liebesgrotte mit ihren falschen Lotosblüten, das mit Eigelb aufgeklebte Moos an den künstlichen Felsen, die nichts-als-blonden Milchmädchen, die unterbeschäftigten Knechte, die falschen Ochsenkarren mit ihren starren Rädern aus billigem Fichtenholz, das falsche Hünengrab und die falsche Windmühle, die sich niemals dreht und noch nie ein Korn gemahlen hat –, und dann blickt sie zu Jakob auf und sagt:

— Jetzt sag mir doch, mein Lieber: Was soll der ganze Scheiß hier eigentlich? Was machen wir hier?

Die Hochzeit findet an einem Dienstag in der kleinen, aber ziemlich pompösen, im neoklassizistischen Stil gehaltenen Kirche von Saint-Symphorien statt. Prinzessin Elisabeth nimmt an der Trauung nicht teil, sie will das bäuerliche Glück nicht stören; auch würde die Etikette es ihr nicht gestatten. Die Kirchenbänke sind leer, nur in der vordersten Reihe sitzen, eingeklemmt zwischen einer Doppelreihe viel zu wuchtiger, viel zu zahlreicher und viel zu dorischer Kalksteinsäulen, die Knechte und Mägde von Montreuil, und mitten unter ihnen massig und zu Tränen gerührt Josephini, der Grizzly. Als Trauzeugen amtieren Victor und Pierre, die Zwillingswächter am Eingangstor; für die Dauer der Zeremonie hat ihr Cousin von der königlichen Leibgarde die Wache übernommen.

Nachdem die Trauung vollzogen ist, singt der Grizzly *Bist du bei mir, geh' ich mit Freuden*, und zwar mit solcher Inbrunst und Hingabe, dass alle Anwesenden weinen müssen. Als das Lied zu Ende ist, drückt der Pfarrer den Frischvermählten kurz die Hände und verschwindet dann eilig durch einen Seitenausgang, der durch einen ummauerten Hof direkt zum Pfarrhaus führt; denn draußen in den Straßen von Versailles randaliert seit Wochen hungriger Pöbel, der alles, was einen Pfaffenhut oder Culotten trägt, mit Unrat und Steinen bewirft.

Und während rings um sie die Welt auseinanderbricht, während überall im Land revoltierende Bauern Schlösser und Klöster niederbrennen und in Paris hungernde Kleinbürger die Waffenarsenale der Polizei plündern, kehren Marie und Jakob in ihren goldenen Käfig zurück und zeugen umgehend ein Kind.«

»Stopp!«, rief Tina und packte Max am Ohr; draußen dämmerte schon der Morgen. »Das ist zu viel. Jetzt hast du den Bogen überspannt.«

»Was soll ich denn machen?«, fragte Max. »Die Hochzeit ist historische Tatsache und der Zeugungsakt ebenfalls.«

»Auch dafür hast du faktische Belege, nehme ich an.«

»Ich habe Kopien des Trauscheins wie auch des Taufscheins, falls dir das genügt. Das Baby hieß Marguerite und wurde am 19. März 1790 geboren; exakt zehn Monate nach der Hochzeit also, zum biologisch frühestmöglichen Termin. Da hast du's, ich hab's dir gesagt.«

»Was?«

»Das Baby ist zum frühestmöglichen Termin zur Welt gekommen. Das beweist doch wohl, dass Jakob kein Problem mit seinem Dings hatte. Er war bereit.«

»Na großartig.«

»Ich sage das nur, weil du ihm da etwas unterstellen wolltest.«

»Ist ja gut.«

»Ich möchte das einfach klargestellt wissen.«

»Ist notiert. Dann muss ich vermuten, dass die beiden zuvor eine effiziente Empfängnisverhütung betrieben haben. Konnten die Menschen schon verhüten damals?«

»Ja. Schon.«

»Wie?«

»Das willst du nicht wissen.«

»Du willst es nicht sagen.«

»Es kam zum Beispiel Schafdarm oder der Speichelsaft von Kautabak zur Anwendung.«

»Das will ich nicht hören.«

»Das sage ich ja.«

»Wie spät ist es jetzt?«

»Zwanzig vor sieben. Es wird schon hell draußen. Mach mal die Scheibenwischer an.«

»Schau, es hat aufgehört zu schneien.«

»Bald kommt die Schneefräse. Soll ich noch kurz fertig erzählen? Es dauert nicht mehr lang.«

»Bitte.«

»Auch nach dem Sturm auf die Bastille bleibt Montreuil

eine Insel des Friedens in einem Meer von Aufruhr. Und wenn auch auf dem Bauernhof im Lauf des Sommers ein Großteil des Personals verloren geht, so grast auf der Weide doch weiter das Hornvieh, und an den Bäumen reift das Obst und die Vorratsspeicher sind gut gefüllt. Weil sich aber draußen auf der Allee in immer größerer Zahl ortsfremde, beschäftigungslose und augenscheinlich mittellose Personen ohne regulären Wohnsitz herumtreiben, muss die Wache am Eingangstor verstärkt werden. Die beiden Zwillingswächter Pierre und Victor bleiben nun rund um die Uhr zu zweit auf ihrem Posten, sie schlafen abwechselnd in einem Zelt hinter der Mauer. Um Mitternacht lassen sie die scharfen Hunde von der Leine, die sie aus der Kaserne mitgebracht haben, und bei Sonnenaufgang, wenn Montreuil erwacht, pfeifen sie sie zurück.

Der Grizzly singt sein abendliches Lied nun nicht mehr; in Zeiten wie diesen wäre es unklug, optisch, akustisch oder olfaktorisch unnötige Aufmerksamkeit zu erregen. Auch zündet er abends im Haus kein Licht mehr an, sondern empfängt Marie und Jakob im Dunkeln, und nachts legt er sich nicht mehr in seinem Bett zur Ruhe, sondern schläft im Geräteschuppen auf einer Pritsche. Und seine Reisetasche ist für den Fall, dass plötzlich ein rascher Aufbruch angezeigt sein sollte, stets gepackt und griffbereit.

Auch in diesem Jahr sind die Weiden schon vor der Sonnenwende abgegrast, Marie und Jakob führen die Herde wiederum in den Schlosspark. Dort gibt es jetzt keine streunenden Hunde mehr, denn diese haben im Winter alle in den

Kochtöpfen der Ärmsten geendet; auch die adligen Zaungäste bleiben aus. Hingegen wimmelt es von hungrigen Bettlern und marodierenden Soldaten, die beim Anblick von Jakobs Kleinvieh ins Jagdfieber geraten. Anfangs verteidigt Jakob die Tiere noch, wenn eine dieser ausgemergelten Lumpengestalten aus dem Unterholz bricht, aber dann lässt er es geschehen; denn erstens müsste man schon ein Unmensch sein, um einem Hungernden den Mundraub zu verwehren, und zweitens ist es die nobelste Bestimmung aller Hühner, Gänse und Lämmer, über schöner Glut an einem Bratspieß zu enden.

Dass Marie guter Hoffnung ist, bemerkt Jakob lang vor Marie. Es geschieht zwei Wochen nach der Hochzeit auf dem Weg zum abendlichen Umtrunk mit dem Grizzly, dass Marie, statt wie gewohnt von der Umfassungsmauer hinunter auf den Waldboden zu springen, mit trotzig verschränkten Armen oben sitzen bleibt.

— Was ist?, fragt Jakob.

— Diese Mauer ist zu hoch, antwortet Marie. Da springe ich nicht runter.

— Gestern bist du noch gesprungen, sagt Jakob. Und vorgestern auch. Problemlos.

— Mir egal, sagt Marie. Heute ist heute.

Aha, denkt Jakob.

Er reicht Marie die Hand und hebt sie hinunter, und dann nimmt er sich vor, ihr ab sofort jeden Wunsch zu erfüllen, bevor sie ihn haben muss.

Fortan ist es der Grizzly, der abends über die Mauer klettert und Marie und Jakob bei der Melkhütte besucht. Zu dritt setzen sie sich auf die Sitzbank. Die Männer nehmen Marie in die Mitte und füttern sie mit den sonderbaren Speisen, die sie sich am Abend zuvor gewünscht hat. Natürlich sind es immer die falschen Speisen, denn Marie hat sich diese ja am Vorabend gewünscht und hätte nun Lust auf etwas ganz anderes, aber sie freut sich trotzdem über die ungelenke Fürsorglichkeit ihrer Freunde und isst immer alles auf, und dann erhebt sie sich, biegt stöhnend ihr Kreuz durch und sagt, sie habe zu viel gegessen.

Allmählich neigt sich die Sommerhitze dem Ende entgegen, der Herbst kommt; abends werden die Wiesen schon wieder feucht. Der Grizzly nimmt seine Gewohnheit wieder auf, für Marie und Jakob jeden Abend ein Lied zu singen, wenn auch nicht mehr trompetenlaut, sondern leise, beinahe im Flüsterton. Dann sitzt er auf der Sitzbank zwischen ihnen, legt seine langen Arme um sie und neigt sein Köpfchen zur Seite, und wenn er mit seinem Lied fertig ist, ergeben sie sich alle drei ihrem Hemvé.

Zum Abschluss des Abends unternehmen sie oft noch einen Spaziergang auf den Hügel. Oben angekommen, blicken sie hinüber zum nachtschwarzen Königsschloss.

— Da brennt ja fast kein Licht mehr, sagt Marie.

— Tja, sagt der Grizzly.

— Als ich zum ersten Mal hier oben war, waren alle Fenster hell erleuchtet.

— Das war vor dem vierzehnten Juli, sagt der Grizzly. Da waren die Kerzendiener noch da.

— Wer?

— Die Kerzendiener. Im Schloss hat's hunderttausend Kerzen. Die muss jeden Abend jemand anzünden. Und später wieder ablöschen. Und am nächsten Morgen die Stummel durch neue Kerzen ersetzen.

— Verstehe, sagt Marie, das ist ein schönes Stück Arbeit. Und die Kerzendiener sind weg?

— Alle abgehauen. In einer einzigen Nacht.

Also erzählt der Grizzly von jener einen Sommernacht nach dem Sturm auf die Bastille, in der im größten Schloss der Welt die große Panik ausbrach; von jener Nacht, in der nicht nur ein Großteil des vieltausendköpfigen Dienstpersonals, sondern auch fast die Gesamtheit jener Kaste, die über viele Jahrhunderte von Gottes Gnaden über das Land und die Menschen geherrscht hatte, sich still und heimlich wie eine Diebesbande aus dem Staub machte. Er erzählt von den Zofen und Lakaien, die in hellen Scharen aus dem Schloss davonliefen, und von den Prinzen, Kokotten und Würdenträgern, die in höchster Eile das Allernotwendigste für die Flucht packten; wie sie kompromittierende Briefe im Kamin verbrannten und eigenhändig ihre Juwelen in Rocksäume einnähten, während im Schutz der Dunkelheit die ganze Nacht lang hunderte mehrspänniger Kutschen, Karossen und Kaleschen vorfuhren, und wie die Pferde ungeduldig schnaubten und mit den Hufen scharrten, während die Fuhrknechte leise Pfiffe ausstießen zum Zeichen, dass die Wagen zum Einsteigen bereit seien; und wie dann Stiefel und Bottinen übers Kopfsteinpflaster trappelten, samtgepolsterte Portieren zuschlugen und stahlbereifte Kutschräder leise kreischend übers Kopfsteinpflaster in die mondlose Nacht hinausrollten. Der Grizzly erzählt, wie sich der Finanzminister des Königreichs Frankreich unter der Kutte eines Benediktinermönchs davonschlich, um aus dem schweizerischen Exil aus gesundheitlichen Gründen von seinem Amt zurückzutreten, während der Außenminister als bürgerlicher Handelsmann verkleidet nach England floh und der Bruder des Königs sich im Morgengrauen inkognito nach Italien verzog; und wie schließlich sogar der Kriegsminister stolz und feige mit mehreren Regimentern Kavallerie und Infanterie das Weite suchte.

— Und der König?, fragt Marie.

— Der ist im Schloss geblieben, sagt der Grizzly. Und mit ihm die Königin mit ihren Kindern und Prinzessin Elisabeth.

— Warum?

— Weil sie noch nie woanders als in Schloss Versailles gelebt haben. Und weil sie nicht wissen, wie das gehen sollte. Also bleiben sie, und mit ihnen ein paar hundert Dienstboten, die zum Flüchten zu alt, zu jung oder zu ängstlich sind.

— Und du?

— Ich bin auch zu jung, zu alt und zu ängstlich. Ich singe dem König sein Lied, das ist meine Aufgabe. Solange der König in Versailles bleibt, bleibe auch ich. Siehst du die erleuchteten Fenster links außen? Das sind die königlichen Gemächer.

Dann ist es Zeit für den Abstieg. Bald werden Victor und Pierre die Hunde von den Leinen lassen, bis dahin muss der Grizzly hinter der Umfassungsmauer verschwunden sein. Vor der Melkhütte nehmen sie Abschied. Jakob gibt dem Freund eine ...«

»Hey, Max! Schau, die Schneefräse kommt!«

Draußen dämmerte der Morgen. Im Westen war der Himmel noch nachtschwarz, aber die Berge waren schon hellblau und die höchstgelegenen Spitzen rosa. Der Schneesturm war vorüber, ein wolkenlos sonniger Wintertag kündigte sich an.

»Wo?«

»Da!«

»Ich sehe nichts. Ach ja!«

Im Hellblau des gegenüberliegenden Schneehangs leuchtete ein oranger Widerschein auf. Er verblasste und leuchtete auf, verblasste und leuchtete auf, und wurde immer heller. Dann erklang das Brummen eines großzylindrigen Dieselmotors, leise erst nur, dann immer lauter, und dann auch das Kreischen von Stahl, der über Asphalt schleift.

»Lass uns aussteigen, schnell!«

Tina zog am Türgriff und stieß gegen die Tür, aber die Schneemassen hatten die Karosserie des Corolla vollständig umgeben.

»Warte mal«, sagte Max. »Vielleicht sollten wir besser ...«

In diesem Augenblick bog die Schneefräse um die Kurve. Es war ein oranges Ungetüm von einem Unimog mit rostigen Schneeketten an mannshohen Rädern und einem orange leuchtenden Drehlicht auf dem Dach der Fahrerkabine, und vor dem Kühler fraß sich über die ganze Breite des Fahrzeugs eine gewaltige, horizontal rotierende Frässchnecke durch den Schnee.

Der Fahrer hatte eine *Credit-Suisse*-Skimütze auf dem Kopf, einen goldenen Ring im rechten Ohr und einen Zigarillo im

Mund. Gleichmütig sah er auf die verschneite Fahrbahn hinunter. Den im Schnee steckenden Toyota beachtete er nicht.

Im Kriechgang arbeitete das Gefährt sich bergauf, den abgefrästen Schnee schleuderte es durch zwei parallel verlaufende Auswurfkamine in hohem Bogen zur Bergseite. Als die Schneefräse auf der Höhe des Toyota angelangt war, trommelte der Schnee hohl übers rote Blech, erst auf die Motorhaube, dann aufs Dach und schließlich auf den Kofferraumdeckel, bevor er wieder lautlos an den Straßenrand fiel und das Fahrzeug um die nächste Kurve verschwand. Das Blinken des Drehlichts erlosch, der Motorenlärm verklang, und der Toyota blieb unter einer dicken Schneeschicht begraben zurück.

»Der hat uns nicht gesehen«, sagte Max. Im Innern des Wagens herrschte wieder schwarze Nacht.

»Was du nicht sagst«, sagte Tina. Sie schaltete die Innenbeleuchtung ein.

»Ich finde, du solltest jetzt die Scheibenwischer einschalten«, sagte Max. »Das war doch eben ziemlich viel Niederschlag, der da auf uns niedergegangen ist.«

»Glaubst du, dass die Scheibe hinreichend eingenässt ist?«, sagte Tina. »Ich möchte nicht, dass der Kautschuk übers Glas schmiert.«

»Mich wundert, dass der Fahrer uns nicht gesehen hat. Der hätte uns doch sehen müssen.«

»Vielleicht hat er uns nicht sehen wollen.«

»Womöglich hatte er Vorschrift, uns nicht zu sehen.«

»Zur Strafe.«

»Vielleicht weist das Straßenverkehrsamt die Schneefräsenfahrer dienstlich an, eingeschneite Idioten wie uns zu übersehen.«

»Ich fände das eigentlich gut.«

»Prinzipiell schon. Als Idee.«

»Würde mich nicht wundern. Die Bergler sind so. Die machen solche Sachen.«

»Die mögen unsereinen nicht.«

»Das kann man verstehen.«

»Aber nett wär's schon, wenn sie uns dann trotzdem irgendwann abholen würden.«

»Spätestens im Frühjahr.«

»Nach der Schneeschmelze.«

»Mit Abschleppfahrzeug und Leichenwagen.«

»Andrerseits zwingt uns ja keiner, bis dahin hier sitzen zu bleiben.«

»Wir können auch gehen, wenn wir wollen.«

»Das Wetter ist gut und die Straße freigeräumt.«

Auf dem konventionellen Weg durch die Türen ließ sich der Toyota nun endgültig nicht mehr verlassen, also drehten Tina und Max die Seitenfenster hinunter. Dahinter kam eine Schneewand zum Vorschein, die auf der Fahrerseite steinhart und undurchdringlich war; auf der Beifahrerseite aber gab sie nach ein paar Faustschlägen nach. Es entstand ein kleines Loch, Tageslicht drang in den Wagen. Max erweiterte es zu einem Schacht, durch den sie beide ins Freie kraxeln konnten.

Und dann standen sie auf der Straße. Blinzelnd schauten sie in das klare Licht des jungen Morgens. Die Luft war schneidend frisch, die Kälte brannte ihnen ins Gesicht. Unter ihren Schuhen knirschte eine dünne Schicht Schnee, welche die Fräse unter der stählernen Schürfleiste auf dem Asphalt zurückgelassen hatte. Majestätisch ragten die Berge himmelwärts in ihrer abweisenden, schroffen Pracht.

»Du, Max«, sagte Tina. »Wo ist denn jetzt diese Melkhütte?«

»Welche Melkhütte?«

»Jakobs Melkhütte. Die müsste bei diesen Wetterbedingungen doch bestens sichtbar sein.«

»Da vorn.«

»Ich sehe nichts.«

»Seltsam. Ich auch nicht. Gestern Abend war sie noch da. Gleich da vorn. Verstehe ich jetzt nicht. Vielleicht wurde sie eingeschneit.«

»Ein ganzes Haus, komplett eingeschneit in nur einer Nacht?«

»Solche Sachen geschehen.«

»Dann lass uns gehen. Bergauf oder bergab?«

»Nach unten«, sagte Max. »Kaffee gibt's in den Bergen immer unten. Alte Bergsteigerregel. Ruhe und Frieden gibt's oben, Kaffee unten.«

»Und das Auto?«

»Das lassen wir stehen.«

Die Straße war ein weißes Band, das breit und frisch geräumt hinunter ins Tal führte. Der Schnee auf dem Asphalt war trocken, hart und rutschfest. Bis ins nächste Dorf mochte es eine halbe Stunde Fußmarsch sein. Mit etwas Glück würden Tina und Max dort eine Kneipe finden, die erstens schon offen war, zweitens Gästetoiletten hatte und drittens Frühstück anbot. Bald würde in ihrem Rücken die Sonne aufgehen. Bald würden die ersten Autos über den Pass fahren. Vielleicht würde eines von ihnen sie mitnehmen. Oder das Postauto würde anhalten und sie hinunter zum nächsten Bahnhof bringen.

»Sag mal«, sagte Tina und hängte sich im Gehen bei Max ein. »Ist deine Geschichte jetzt eigentlich aus?«

»So ziemlich. Da ist ja nicht mehr viel los in Versailles. Das Schloss ist gespenstisch leer. Die Königin liegt den ganzen Sommer krank im Bett. Der König schießt, als ob nichts wäre, immer nur Karnickel im Schlosspark. Und Prinzessin Elisabeth reitet wie gewohnt jeden Morgen nach Montreuil.

Am Eingangstor halten die Zwillinge immer noch Wache, aber hinter der Umfassungsmauer ist es still geworden. Im Lauf des Sommers haben die letzten Mägde und Knechte das Weite gesucht, und der normannische Bauer auch. Das Gesindehaus ist versperrt und zugenagelt, in den Fugen des Kopfsteinpflasters sprießt Löwenzahn. Auch die Stallungen sind verödet, die Viehdiebe haben nebst dem Geflügel auch alle Schweine, Schafe, Ziegen mitgenommen; sogar die Kuhherde ist nur noch halb so groß wie im Vorjahr. Mit den verbliebenen sechs Kühen geht Jakob nicht mehr in den Schlosspark. Für sie ist das Gras auf Montreuil ausreichend.

Tagsüber sind Marie und Jakob nun allein. Viele Stunden liegen sie im Schatten des Unterstands auf der Wolldecke und sehen den Kühen beim Wiederkäuen zu; die Leitkuh liegt neben ihnen. Die Tage werden kürzer und trüber, ansonsten geschieht nichts. Jakob richtet im Unterstand eine kleine Feuerstelle ein, damit Marie nicht friert. Er beobachtet interessiert das Wachstum ihres Bäuchleins, von dem sie bis in den Herbst hinein sagen wird, das sei noch nichts, das komme nur vom Essen.

Jeden Morgen führt Prinzessin Elisabeth ihr weißes Araberpferdchen auf die Weide, dann winkt sie Marie und Jakob freundlich zu. Das Pferdchen wird den ganzen Tag zwischen den Kühen umhertollen. Die Prinzessin lässt sich erst am späten Nachmittag wieder blicken, wenn sie ans Gatter tritt, das Pferdchen herbeipfeift und mit ihm durchs Eingangstor verschwindet.

Es scheint, als ob alles ewig so weitergehen werde hinter den goldenen Gitterstäben von Montreuil. Auf den Herbst wird der Winter folgen, dann ein Frühling und wieder ein Sommer und noch ein Herbst, die Kühe werden kalben, die Leitkuh wird in ein paar Jahren einer jüngeren Platz machen müssen und kurz darauf sterben, und Marie und Jakob werden auf ihrer Wolldecke sitzen bleiben, älter werden und ihrer Tochter beim Heranwachsen zusehen, bis sie nacheinander sterben werden, und die Tochter wird weiterleben bis zu dem Tag in dreißig, sechzig oder hundert Jahren, an dem auch sie aus irgendeinem Anlass oder auch nur aus einem Vorwand das Zeitliche segnen wird.

Dieser Lauf der Dinge – oder eben ihr Stillstand – scheint unabänderlich bis zu der Stunde, an dem die Dinge den notwendigen Anstoß erhalten; denn bekanntlich ist nichts auf der Welt unabänderlich und ändert sich alles irgendwann. Manchmal lässt diese Stunde des Anstoßes länger auf sich warten, manchmal kommt sie früher. Bei Marie und Jakob ist es nach ihrem ersten gemeinsamen Sommer auf Montreuil so weit.

Montag, der 5. Oktober 1789 ist ein trüber, nieseliger Tag, an dem es nicht richtig hell werden will. Marie und Jakob spielen Schach vor der Melkhütte. An jenem Morgen sind sie nicht auf die Weide gegangen, weil die Leitkuh die wohlige Wärme des Stalls nicht verlassen wollte, worauf alle anderen Kühe sich ebenfalls weigerten. Jakob hat ihnen die Stalltür offen gelassen für den Fall, dass doch noch eine von ihnen Lust auf frische Luft bekommen sollte; bis dahin muss sich das Araberpferdchen die Zeit allein auf der Weide vertreiben.

Kurz vor Mittag kommt Wachmann Victor im Laufschritt die Auffahrt hinauf, rennt über den Hof und stürzt ohne anzuklopfen durch den Haupteingang ins Herrenhaus. Marie und Jakob beobachten ihn und wundern sich. Das ist ungewöhnlich, höchst ungewöhnlich. So etwas hat es auf Montreuil noch nie gegeben.

Drei oder vier Minuten regt sich nichts im Herrenhaus. Auf dem Dachfirst sitzen Krähen, in den Fenstern spiegelt sich das Bleigrau tief fliegender Regenwolken.

Dann geht die Tür wieder auf, und heraus stürzt die Prinzessin. Sie rennt über den Hof. Ihr Gang hat jetzt nichts Gleitendes mehr, auch nichts Rollendes und schon gar nichts Schwebendes. Die Prinzessin rennt. Mit gerafften Röcken und weit ausholenden Schritten rennt sie über den frisch gepflügten Kartoffelacker. Ihre weißen Oberschenkel leuchten, die Säume ihrer Röcke streifen die feuchte Scholle. Sie stolpert, fällt hin und rappelt sich wieder auf, wischt sich die Hände am Rock ab und rennt weiter bis zum Gatter an der Weide. Dort pfeift sie ihr Pferdchen herbei, schwingt sich in den Sattel und prescht, als würde sie gejagt, auf der Pariser Allee davon, dem Schloss entgegen.

Wenig später tritt Wachmann Victor aus dem Haus. Schweren Schrittes geht er über den Kartoffelacker. Vor der Melkhütte bleibt er stehen. Marie und Jakob gehen zu ihm. Seine Schultern hängen. Das sonst stets gerötete Gesicht ist blass. Der blonde Schnurrbart hängt, die grünen Augen sind sorgenvoll geweitet.

— Was ist los?, fragt Jakob.

— Die Aufständischen, sagt Victor. Sie sind im Anmarsch.

— Das ist doch nichts Neues, sagt Jakob. Die sind seit einem halben Jahr im Anmarsch.

— Diesmal sind es Frauen. Eine Armee von sechstausend Pariser Lumpenweibern. Marktweiber, Wäscherinnen, Köchinnen, Putzfrauen. Bewaffnet mit Gewehren, Schürhaken, Schaufeln und Bratspießen.

— Und?

— Gegen Weiber kannst du nicht kämpfen, sagt Victor. Du kannst vielleicht ein paar von ihnen totschlagen, wenn es unbedingt sein muss, oder sie auf fünfzig Schritt erschießen. Aber du kannst nicht sechstausend Frauen totschlagen.

— Männer schon?

— Sechstausend Männer sind kein Problem, sowas geschieht ständig. Aber sechstausend Frauen, das ist unmöglich. Das hat noch nie einer gemacht. Nicht mal Attila. Nicht mal Dschingis Khan. Wir haben keine Chance. Versailles ist verloren.

Der im Voraus geschlagene Krieger dreht sich um und kehrt zurück zum Eingangstor. Jakob klettert über die Umfassungsmauer, um den Grizzly zu warnen, und dann gehen sie zu dritt, Marie, der Grizzly und Jakob, hinunter zum Eingangstor, um mit den Zwillingen auf die Armee der Frauen zu warten. Alle fünf sitzen nebeneinander auf der Mauer, lassen die Füße baumeln und warten. Das Eingangstor ist verriegelt.

Und dann kommen sie, die sechstausend wütenden Weiber. Die Erde bebt, die Luft vibriert, die Vögel in den Bäumen verstummen. Eine endlose Prozession keulenschwingender Weiber rollt in Dreierkolonne über die Allee auf das Schloss zu. Skrofulöse Altweiber, rosige Jungfrauen, kleine Mädchen und flaumige Mütter; lachende Gesichter, wutverzerrte Fratzen, geballte Fäuste, herausfordernd entblößte Brüste. Ihre Röcke sind nass und schmutzig vom stundenlangen Marsch im Nieselregen. Sie riechen nach Wut, Schweiß und allzu lang ertragener Not. Sie brüllen Schlachtrufe, singen Lumpenlieder, skandieren Parolen, kreischen, grölen, quietschen und lachen durcheinander, aber ihre Botschaft ist klar und deutlich, und äußerst leicht verständlich. Die Frauen wollen Brot, und zwar sofort. Der König soll ihnen welches geben. Und Mehl wollen sie auch. Und Getreide. Seine gesamten Getreidereserven soll der König ihnen mitgeben. Die Frauen brauchen Vorrat für den Winter. Sie haben hungrige Mäuler zu Hause, die sie Tag für Tag stopfen müssen. Der letzte Winter war bitter, der vorletzte auch, die Geduld der Frauen ist erschöpft. In ganz Paris gibt es kein Brot mehr. Und wenn doch, ist es unerschwinglich. Falls der König den Frauen kein Brot geben kann, soll er mitkommen nach Paris. Dann wird er sehen, wie es ist, wenn der Winter kommt und man Hunger hat in der Stadt.

Dicht an dicht ziehen die Frauen an Montreuil vorbei. Manche rufen Marie zu, dass sie mitmarschieren solle, andere werfen Jakob interessierte Blicke zu oder mustern verwundert die unfassbare Gestalt des Grizzlys. Den zwei uniformierten Wächtern schenken sie keine Beachtung. Der Vorüberzug der Weiber dauert über eine halbe Stunde. Den Abschluss bilden vier Pferde mit vier kleinen Kanonen, auf denen rittlings vier Frauen sitzen. Und hinter den Kanonen folgt, eine weitere Stunde lang, eine Armee von fünfzehntausend Nationalgardisten.

Victor und Pierre schnauben verächtlich über die Soldaten, die sich an die Rockzipfel der Frauen gehängt haben. Mit denen würde man schon fertig werden. Gefährlich sind die Frauen. Die Frauen sind unbesiegbar.

Die Kolonne wird langsamer und kommt zum Stillstand; die Vorhut der Frauen ist beim Schloss angekommen. Man hört sie auf dem Waffenplatz krakeelen. Tausend Hände rütteln an den Gitterstäben, Metall schlägt gegen Metall. Pistolenschüsse. Gewieher. Geschrei. Die Zufahrtsstraßen sind schwarz von Schaulustigen. Auch auf den regennassen Dächern der Bürgerhäuser sitzen Schaulustige.

Es wird Abend, die Nacht kommt. Es regnet immer noch. Aus den Wiesen steigt dichter Nebel. Er kriecht über die Straßen, verschluckt die Häuser, die Frauen, die Soldaten, die Pferde. Auf der Allee werden Lagerfeuer angefacht, die Soldaten spannen Zeltplanen für die Frauen auf.

Da der Regen nicht nachlässt, stellen Marie, Jakob und der Grizzly sich im Wachtzelt der Zwillinge unter. Pierre richtet das Feldbett als Sitzbank für die Gäste her, Victor brät Kartoffeln und Spiegeleier für alle. Marie holt einen Laib selbstgemachten Greyerzer aus der Melkhütte. Jakob und der Grizzly gehen zum Haus der Kastraten und bringen Pistazien, eingemachte Zitronenschalen und Burgunder herbei. Nach dem Essen nehmen die Zwillinge ihren Tabakbeutel hervor und zeigen den anderen, wie man raucht. Marie umfasst ihr Bäuchlein mit beiden Händen, als wäre er ein Laib Brot, und erklärt den Männern mit großer Sicherheit, dass es ein Junge werde; eine Frau spüre so etwas.

Ans Schlafengehen denkt niemand. Dies ist keine Nacht, um schlafen zu gehen. Aber eintönig trommelt der Regen auf die Zeltplane, schwer liegen die Kartoffeln im Bauch. Draußen auf der Allee ist es ruhig geworden. Marie lehnt sich an Jakob. Jakob lehnt sich an den Grizzly. Der Grizzly ruht in sich selbst. Die Zwillinge halten abwechselnd Wache am Eingangstor.

Spät in der Nacht verstummt das Regengetrommel. Ein Wind hebt an, zerrt an den Zeltplanen und bläst den Nebel fort. Dann graut der Morgen. Montreuil ist triefend nass, die Welt scheint unverändert. Die Sonne geht auf, alles leuchtet und glitzert im goldenen Licht. Die Kühe traben muhend die Auffahrt hinunter, sie sind auf der Suche nach Jakob. Er muss sie melken, ihre prallen Euter schmerzen. Schon gestern Abend hat er sie nicht gemolken.

Nach dem Melken kehren die Kühe erleichtert auf die Weide zurück; sie gehen allein, die Leitkuh kennt den Weg. Die Zwillinge stehen schon wieder am Eingangstor. Marie, Jakob und der Grizzly klettern auf die Umfassungsmauer und beobachten, wie die Allee zum Leben erwacht. Niedergebrannte Lagerfeuer flammen wieder auf, die Frauen erheben sich, gehen von einem Feuer zum nächsten. Manche laden ihre Gewehre, andere schnallen sich Säbel um oder setzen Mützen auf, die sie sich in der Nacht von Soldaten haben schenken lassen.

Plötzlich geht vom Schloss her eine Welle der Aufregung durch die Menschenmenge, ein Vibrieren, ein Summen wie von tausend Bienenschwärmen, das sich von einem Lagerfeuer aufs nächste überträgt, und wo es hinlangt, heulen die Frauen triumphierend auf, recken ihre Fäuste himmelwärts und rennen zum nächsten Lagerfeuer.

— Der König kommt!

— Macht die Straße frei für den König!

— Wir nehmen den König mit!

— Der König kommt mit uns nach Paris!

Es dauert dann aber bis über den Mittag hinaus, bis Bewegung in die Menschenmenge kommt. Am Straßenrand steht ein Ochsenkarren, der bis obenhin mit Broten beladen ist. Zwei Frauen stehen obenauf und werfen die Brote zu den vorbeiziehenden Frauen hinunter, und diese stecken sich die Brote auf die Spitzen ihrer Spieße, Bajonette und Schwerter.

Und dann rollt inmitten des Tumults, langsam wie ein Leichenwagen, die goldene Reisekarosse des Königs heran. Sie ist über und über vergoldet, schwer mit Arabesken verziert und wird, wie es nur dem König gebührt, gezogen von acht Pferden.

Im Schritttempo rollt die Karosse an Montreuil vorüber.

Sie schaukelt wie ein Schiff bei hoher See im Gewoge der jubelnden Frauen, die sich an den Kotflügeln festhalten, den Pferden in die Zügel fallen, auf den Trittbrettern mitfahren, gegen die Portieren klopfen, freche Blicke und derbe Scherze durch die Seitenfenster werfen. Die berittene Leibgarde des Königs ist längst abgedrängt worden, sie folgt weiter hinten in schüchterner Einerkolonne am Straßenrand.

Auf der Umfassungsmauer haben Marie, Jakob und der Grizzly freie Sicht ins Innere des Wagens, der üppig mit Brokat und Samt und Seide ausgekleidet ist. Auf der vorderen Bank sitzt das Königspaar mit seinen Kindern, auf der hinteren die Gouvernante mit Prinzessin Elisabeth.

— Ist das der König?, fragt Marie. Der Dicke da?

In diesem Augenblick wendet sich Prinzessin Elisabeth dem Fenster zu und wirft einen letzten Blick auf Montreuil.

Marie und Jakob heben die Hand zum Gruß.

Elisabeth winkt ein letztes Mal zurück.

Es dauert Stunden, bis auf der Allee wieder Ruhe einkehrt. Hinter der königlichen Karosse folgen dicht an dicht zweihundert Kutschen mit königlichem Gepäck und Personal und drei Dutzend Getreidewagen, dann die fünfzehntausend Mann der Nationalgarde; den Abschluss bildet das Heer der Krakeeler, Schnorrer, Raufbolde und Parasiten, das den ganzen Sommer die Straßen von Versailles belagerte und nun mit dem Wirtstier nach Paris umzieht.

Am späten Nachmittag sind sie dann alle weg. Ruhig liegt die Allee vor der Umfassungsmauer, im fernen Schloss heult der Wind durch die verlassenen Suiten. Offene Fenster schlagen auf und zu. Letzte Lakaien schließen Fensterläden, die hundert Jahre offen gestanden haben, und suchen dann ebenfalls das Weite.

— Ich schätze, das war's, sagt Marie.

— Das Ende des Liedes, sagt der Grizzly.

— Der Käfig steht offen, sagt Jakob. Wir können gehen.

— Wohin?

— Einfach mal weg.

— Kommst du mit uns?, fragt Marie den Grizzly.

— Vielen Dank, sagt der Grizzly und wiegt zweifelnd sein Köpfchen. Was mich betrifft, ist es fürs Weggehen vielleicht schon ein bisschen spät. Ich spür's in den Knochen. Bald kommt die Nacht.

— Aber noch ist es heller Tag, sagt Jakob. Ein paar Meilen schaffen wir noch.

Jakob springt von der Mauer und hilft Marie hinunter, dann springt auch der Grizzly. Sie gehen hinüber zu den Zwillingen, die reglos wie Kleiderschränke am Eingangstor Wache stehen. Unbeirrt starren sie mit ihren grünen Augen auf die menschenleere Straße.

— Alles klar bei euch?, fragt Marie.

— Bis jetzt schon, sagt Pierre und starrt weiter geradeaus.

— Es sind alle weg, sagt Jakob.

— Das sehen wir selbst.

— Niemand mehr da, sagt Jakob. Niemand vor dem Tor und niemand hinter dem Tor. Ich würde sagen, ihr braucht es nicht mehr zu bewachen.

— Du quatschst zu viel.

— Ihr könnt eigentlich wegtreten.

— Wer bist du, der Hauptmann?, fragt Pierre.

— Wir haben Sold bis Samstag, sagt Victor.

— Heute ist Dienstag, sagt Jakob.

— Bis Samstag bleiben wir. Wenn am Samstag kein Sold kommt, sind wir weg.

— Wir gehen aber jetzt gleich, sagt Marie.

— Na dann, sagen Pierre und Victor.

— Ich hole rasch meine Reisetasche, sagt der Grizzly.

— Und ich hole die Kühe, sagt Jakob. Die Kühe kommen mit.«

* * *

»Und dann?«, fragte Tina.

»Wie?«, sagte Max.

»Was ist dann passiert?«

»Nichts mehr. Die Geschichte ist aus.«

»Das kann nicht sein – da geht's doch jetzt erst richtig los mit den beiden! Die brechen doch jetzt auf in eine gemeinsame Zukunft! Der Freiheit, der Sonne, dem Licht entgegen! Ein ganzes Leben haben die vor sich. Oder etwa nicht?«

»Ich glaube schon.«

»Ich wäre an Maries Stelle mit Jakob und den Kühen nach Südfrankreich gegangen. Ich hätte mir ein hübsches Plätzchen mit Blick aufs Mittelmeer gesucht, einen verlassenen kleinen Bauernhof vielleicht, der günstig zu haben war, und dann hätte ich dort das Baby zur Welt gebracht. Meinst du, die Kühe hätten es geschafft bis nach Südfrankreich?«

»Locker.«

»Wie lange hätten die dafür gebraucht?«

»Drei oder vier Monate vielleicht.«

»Dann hätte das zeitlich geklappt mit der Niederkunft«, sagte Tina. »Und den Grizzly hätte ich als Taufpaten genommen.«

»Genau«, sagte Max. »Wenn der Grizzly mitgegangen wäre nach Südfrankreich.«

»Ach – ist er nicht?«

»Marie und Jakob sind nicht nach Südfrankreich gegangen.«

»Sondern?«

»Heim ins Greyerzerland.«

»Mit den Kühen?«

»Natürlich.«

»Und dem Grizzly?«

»Der ist bis nach Greyerz mitgegangen. Dort hat er Marie und Jakob ein letztes Mal umarmt, ihnen ein letztes Lied gesungen und ist mit der erstaunlichen Behändigkeit eines Bären weitergelaufen zum Genfersee, dann ins Wallis, über den Großen Sankt Bernhard und die ganze italienische Halbinsel hinunter bis in die Abruzzen und hinauf in das Bergdorf, in dem er aufgewachsen war und wo seine jüngste Schwester Giuseppina, die noch mehrere Zähne im Mund hatte, ihn freudig aufnahm.«

»Ist das wahr?«

»Nein, aber ich wünschte es mir.«

»Und Marie und Jakob?«

»Die haben einen kleinen Bauernhof namens *La Léchère* gekauft und zusammen ein langes und glückliches Leben gelebt.«

»Ist das wahr?«

»Ja. Marie ist mit fünfundsiebzig Jahren gestorben, Jakob ein paar Monate nach ihr. Der Bauernhof ist 1903 niedergebrannt.«

»Und das Baby, wie hieß es nochmal?«

»Marguerite.«

»Was ist aus ihr geworden?«

»Sie hat den Bäcker des Städtchens geheiratet und ihm acht Kinder geschenkt. Ihr dritter Sohn ist ein berühmter Mann geworden, Nationalrat, Ständerat und Bundesrichter, ein profilierter Radikaler von 1848. Nebenher war er Lokaldichter im Städtchen, eine kleine Straße gleich beim Bahnhof ist nach ihm benannt. Nichts Besonderes. Ich zeige sie dir nachher, wenn wir aus dem Bus steigen.«

In der Zwischenzeit war die Sonne über dem Jaunpass aufgegangen, schwarz leuchteten die Stämme der Fichten im allumfassenden Weiß des Schnees. Tina und Max kamen auf der geräumten Straße gut voran; schon wurde das Tal breiter. Weiter vorn waren ein paar Häuser zu sehen, die möglicherweise Vorboten eines Dorfes waren. Da kam ein Fahrzeug die Straße hinauf. Es war ein weißer BMW mit orangen Streifen an den Flanken, ein Patrouillenwagen der Freiburger Kantonspolizei. Er blinkte rechts und hielt am Straßenrand.

Max und Tina gingen auf den BMW zu. Dessen Türen gingen auf, zwei uniformierte Polizisten stiegen aus und salutierten. Sie waren beide groß wie Pferde und breit wie Haustüren, und beide hatten rote Gesichter und kauten Kaugummi.

»Wir haben Meldung von einem roten Toyota Corolla, der diese Nacht am Jaunpass eingeschneit wurde«, sagte der eine Polizist.

Max und Tina vermieden es, einander anzuschauen. Sie wussten, dass sie beide in Betracht zogen, den Corolla zu leugnen.

»Laut Meldung des Straßenverkehrsamts sollen eine Frau und ein Mann an Bord des Wagens gewesen sein«, sagte der andere Polizist.

Die Beweislage war erdrückend, jedes Leugnen wäre lächerlich gewesen. Tina und Max mimten Erleichterung und gaben sich als die Passagiere des roten Corolla zu erkennen.

»Dann darf ich Sie bitten, zur Feststellung der Personalien mit uns aufs Polizeipräsidium zu kommen«, sagte der eine Polizist.

»Wieso das denn?«, fragte Max.

»Wegen mehrfachen Verstoßes gegen das Straßenverkehrsgesetz«, sagte der andere Polizist. »Sie werden schon sehen. Jetzt steigen Sie bitte einfach mal ein.«

Er ging zum Streifenwagen und öffnete die linke Hintertür. Tina und Max nahmen auf der Rückbank Platz. Nachdem auch die Polizisten eingestiegen waren, wendete der Wagen auf der weißen Straße und fuhr zügig bergab.

Gut möglich, dass in diesem Augenblick ein einsamer alter Steinbock auf seinem Morgenspaziergang oben am Jaunpass anlangte und hinunter ins Tal schaute. Dann kann man sich vorstellen, dass er dem Streifenwagen hinterhersah, der in der Zwischenzeit den Talboden erreicht hatte und auf einer langen Geraden der Ebene entgegenfuhr.

Vielleicht konnte der Steinbock durch die Heckscheibe des Streifenwagens die Hinterköpfe von Tina und Max sehen, die nahe beisammen und einander zugeneigt waren. Na also, dachte er dann vielleicht. Geht doch.

Quellennachweis der zitierten Lieder und Briefe

Seite 96: *À la claire fontaine*, Französisches Volkslied (18. Jahrhundert)

Seite 117: *Ich folge dir gleichfalls*, Arie aus der Johannes-Passion von Johann Sebastian Bach (1724)

Seite 124/125: *Ombra mai fu:* Arie aus der Oper *Xerxes* von Georg Friedrich Händel (1738)

Seite 142/143: »*Le Hemvé*«, Jean-Jacques Rousseau, *Deux lettres à M. le Maréchal de Luxembourg (20 et 28 janvier 1763), contenant une description de la Suisse, de la Principauté de Neuchatel et du Val-de-Travers.* Neuenburg 1977

Seite 161: *Bist du bei mir*, Arie aus dem Notenbüchlein für Anna Magdalena Bach von Johann Sebastian Bach (1725)

»Alex Capus ist ein wunderbarer
Erzähler, für den alles eine Geschichte
hat, für den die Welt lesbar ist.«
Süddeutsche Zeitung

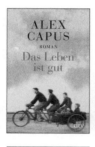  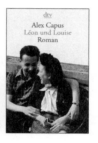

ALLE LIEFERBAREN TITEL, INFORMATIONEN UND SPECIALS
FINDEN SIE ONLINE

www.dtv.de **dtv**